도형 학습의 기준

플라토

PLATO

E2

도형조작 | 초5

플라토가 제안하는 도형 학습법

도형 학습지 플라토를 처음 기획하던 때의 기억이 선명하네요. 처음에는 아이들에게 그다지 필요하지 않을 거라 생각해서 소수의 학원에서만 풀리는 교재로 생각했는데 교재가 모양을 갖추어가자 점점 모든 아이들이 즐겁게 도형을 풀 수 있는 책이 만들어질 거라는 확신이 들었지요.

처음 교재를 쓰면서 놓치지 않고 싶었던 콘셉트는 딱 이거였어요.
"쉽고! 가볍게!"
쉬운 교재를 쓴다는 것이 결코 쉽지 않았답니다. 쓰다 보면 어느새 높은 수준의 공간 감각을 요구하는 어려운 문제가 막 튀어나오고 난리도 아니었지요. 그럴 때마다 '아니야, 이 책은 정말 쉽고 가벼워야 해. 아이들이 술술 풀 수 있는 학습지여야 한다고!' 하며 다시 마음을 다잡고 어려운 문제를 빼고 다시 쓰기를 반복했답니다.

우여곡절 끝에 나온 '플라토'를 지난 6년 정도의 시간 동안 정말 깜짝 놀랄 만큼 많은 아이들이 선택하여 풀게 되었지요. 처음 생각했던 가볍고 쉬운 도형 학습지라는 콘셉트가 많은 부모와 아이들에게 받아들여졌다는 사실이 저자로서 무척이나 기쁘고 정말 뿌듯하답니다. 플라토가 단순히 도형을 체계적으로 학습하기 위한 학습지라는 개념을 넘어, 아이들이 도형, 더 나아가 수학에 대한 자신감을 가질 수 있게 하는 수학 학습의 시작점이 되었다는 사실이 무엇보다 자랑스럽습니다.

아이들을 위한 수학책을 집필하면서 수학 때문에 힘들어하는 아이들에게 또 하나의 짐을 더 지워주는 것이 아닌가 하는 걱정이 있었어요. 도형 학습지 플라토가 초등 도형 학습이라는 새로운 영역을 개척하며 점점 성장하는 것과 함께 어쩌면 도형도 따로 공부해야 한다는 또다른 짐이 되어버린 것 같아 아쉽기도 했지요. 하지만 지난 몇 년간 플라토를 푼 많은 아이들이 올려준 후기를 보면서 저희의 걱정이 지나쳤다는 확신이 생겼답니다. 플라토를 푼 아이들, 플라토로 수학을 시작한 아이들은 수학이 괴롭고 힘들다는 인식 대신, 수학을 가볍고 부담 없고 만만한 것으로 받아들이게 되는 과정을 몸소 보여주었어요. 이것은 저희가 처음에 플라토를 기획했던 때에 기대했던 반응과 효과를 넘어선 정말 커다란 수학 학습의 변화라고 자평한답니다.

많은 사랑을 받았던 플라토가 이제, 플라토를 접한 이들의 소중한 피드백과 함께 새로운 개정판으로 다시 태어났어요. 원래 플라토가 가지고 있던 장점은 그대로 가진 채, 좀 더 예뻐지고, 좀 더 친절해지고, 좀 더 풍성해진 모습으로 다시 한번 아이들에게 다가가려 합니다. 이러한 작은 변화가 아무쪼록 여전히 수학, 그리고 도형으로 고민하는 많은 부모와 아이들에게 기쁜 소식이 되었으면 해요.

새로운 플라토, 잘 부탁드리고, 또 많은 관심과 의견 보내주시면 정말 고마울 거예요.

지식과상상연구소 드림

도형학습, 자주 묻는 질문과 답변

질문 1 도형 학습 반드시 필요할까요? 또는 어떤 아이들에게 필요할까요?

도형 영역의 성취도가 다른 영역에 비해 확연하게 높은 아이들과 선천적으로 공감 감각이 뛰어난 친구에게는 필요하지 않겠지요. 그러나 초등학교의 도형 학습은 단원 간 시간 간격이 상당히 크기 때문에 아이들이 도형의 기본 개념을 연계하여 학습하지 못하는 어려움이 있고, 이러한 어려움이 누적되면 훨씬 어려운 중학교 도형 영역에서 힘들어하는 경우가 많답니다. 이 때문에 좀 더 도형을 체계적으로 꾸준하게 하고 싶다는 아이들에게는 반드시 추천합니다.

특히 도형을 어려워하거나 싫어하는 친구들에게 플라토는 특효약이 될 수도 있다는 점 잊지 마세요.

질문 2 도형 학습은 교구가 반드시 필요한가요?

영유아기에 도형 교구를 다루어 본 아이들과 그렇지 않은 아이들은 초등 단계에서 유의미한 도형 학습의 성취도 차이를 보이기는 합니다. 그러므로 3세~7세의 아이들에게 도형 교구를 노출시켜주어야 한다고 생각해요. 유아 단계에서는 놀이를 중심으로 한 교구 학습을 추천하고, 플라토를 시작하고 진행하는 단계에서는 교구를 도형 학습의 보조 도구로 활용하는 것이 좋을 것 같습니다. 예를 들어 플라토를 풀다가 거울에 비친 모양을 어려워한다면 거울 교구를, 칠교를 어려워한다면 칠교 교구를 직접 만지면서 문제를 푸는 것이 학습 효과를 높일 수 있지요. 플라토 개정판에서는 연관 교구를 표시해 두었고, 일부 교구재를 교재와 함께 제공하고 있습니다.

질문 3 반드시 추천하는 도형 교구가 있나요?

반드시 필요한 도형 교구라면 교과서에 등장하는 도형 교구라고 생각해요. 패턴블록, 거울(리플렉터), 칠교, 펜토미노, 쌓기나무, 입체 모형, 지오보드 등이 교과서에 빠지지 않고 등장하는 교구이지요. 이러한 교구를 한 번에 묶어서 구성해 놓은 것이 플라토 주머니랍니다. 필요하신 분은 검색해 보세요!

질문 4 아이가 플라토를 너무 빨리 풀어요. 어떻게 해야 할까요?

입문 단계의 플라토는 정말 쉽게 만들었기 때문에 어떤 아이들은 한 달 분량의 교재를 1주일이나 빠르게는 2~3일 만에 풀곤 한답니다. 아이가 학습지를 스스로의 의지로 빨리 풀어낸다는 것은 좋은 일이지요. 칭찬해주어야 마땅합니다. 6세~2학년 정도까지는 도형 학습에 있어 좀 더 윗 단계를 푸는 것도 크게 어렵지 않습니다. 그래서 아이 연령에서 2단계~3단계 위까지는 아이가 속도감 있게 풀면서 쭉 나가주어도 괜찮아요. 그러다가 아이들이 학교에서 배워야만 풀 수 있는 주제가 나올 때 잠시 멈추고 연산/사고력 문제집을 풀게 하는 것이 좋습니다. 윗 단계의 도형 학습을 수월하게 진행하려면 연산 학습과 사고력 학습도 같이 진행하는 것이 좋기 때문입니다.

질문 5 플라토만으로 도형 학습을 다 했다고 할 수 있을까요? 너무 쉬운 문제만 푸는 게 아닐까 불안해요.

플라토는 분명 쉬운 교재이지만 초등 수학 수준에 필요한 난이도의 도형 문항은 모두 수록되어 있답니다. 하지만 아이들에 따라 도형 학습에 재미를 붙이는 단계에서 좀 더 수준 높은 문제로 공간 감각과 사고력을 키우고 싶을 수도 있지요. 이런 경우 사고력수학 교재의 도형 영역으로 좀 더 심화된 학습을 하는 것을 추천합니다. 또한 우리 플라토도 좀 더 확장된 도형 학습을 필요로 하는 아이들을 위한 심화 교재를 준비하고 있으니 조금만 기다려주세요!

플라토 전체 커리

교재		S(6세)	P(7세)	A(초등학교 1학년)
1권 평면규칙	1주차	점과 선	도형 그리기	점과 선의 수
	2주차	똑같은 모양	같은 도형	여러 가지 도형
	3주차	도형 세기	도형 세기	도형 세기
	4주차	도형 규칙	도형 규칙	도형 규칙
2권 도형조작	1주차	길이 비교	같은 길이	넓이 비교
	2주차	모양 붙이기	세모 붙이기	패턴블록
	3주차	모양 자르기	네모 붙이기	도형 돌리기
	4주차	거울과 위치	거울에 비친 도형	모양 만들기
3권 입체설계	1주차	입체 모양 관찰	입체도형 관찰	입체도형 연구
	2주차	블록 모양 만들기	블록 모양 만들기	여러 가지 입체
	3주차	쌓기나무	쌓기나무	쌓기나무 세기
	4주차	입체도형 세기	층층 쌓기	입체도형 추리
4권 공간지각	1주차	잘라내기	구멍난 종이	구멍난 종이
	2주차	종이 접기	종이 접기	접고 잘라내기
	3주차	투명 종이 겹치기	여러 방향 관찰	여러 방향 관찰
	4주차	모양 겹치기	도형 겹치기	겹친 실루엣

B(초등학교 2학년)	C(초등학교 3학년)	D(초등학교 4학년)	E(초등학교 5학년)	F(초등학교 6학년)
원과 다각형	직선과 각	각도기와 각	다각형의 둘레	원주와 원주율
도형 그리기	직각이 있는 도형	삼각형	합동	원을 이용한 길이
도형 세기	도형 그리기	수직과 평행	선대칭	원의 넓이
점판 그리기	패턴 무늬	다각형	점대칭	원을 이용한 넓이
길이 재기	밀기와 뒤집기	도형의 각	직사각형의 넓이	직육면체의 겉넓이
칠교판	돌리기	삼각형의 성질	평행사변형, 삼각형의 넓이	직육면체의 부피(1)
길이의 합과 차	도형의 이동	사각형의 성질	사다리꼴, 마름모의 넓이	직육면체의 부피(2)
모양 만들기	원과 길이	선 긋기와 각	다각형의 넓이	원기둥의 겉넓이와 부피
입체도형 연구	쌓기나무 그리기	입체 찍기	직육면체	각기둥
본뜬 모양	쌓기나무 세기	입체도형 포장	직육면체의 전개도	각뿔
쌓기나무 발자국	입체의 부피	쌓기나무 포장	전개도 그리기	전개도
쌓기나무 세기	큐브 블록	포장 종이 잇기	전개도와 대각선	원기둥, 원뿔, 구
색종이 공예	색종이 공예	점의 이동	점의 이동	쌓기나무의 수
여러 방향 쌓기	구멍난 종이	모양과 점의 이동	모양과 점의 이동	위, 앞, 옆 모양
투명 종이 겹치기	여러 방향 관찰	같은 모양, 다른 모양	주사위	위, 앞, 옆과 수
그림자 추리	색종이 겹치기	정다각형을 붙인 모양	뚜껑이 없는 상자	큐브 연결

이 책의
목차

1주차 직사각형의 넓이 8

2주차 평행사변형, 삼각형의 넓이 22

3주차 사다리꼴, 마름모의 넓이 36

4주차 다각형의 넓이 50

형성 평가 64

1
주차
직사각형의 넓이

1일 단위넓이 ········· 10

2일 단위넓이와 직사각형 ········· 12

3일 직사각형의 넓이 ········· 14

4일 직사각형 그리기 ········· 16

5일 둘레와 넓이 ········· 18

확인학습 ········· 20

1일 단위넓이

단위넓이를 이용하여 다각형의 넓이를 구해 □ 안에 써넣으시오.

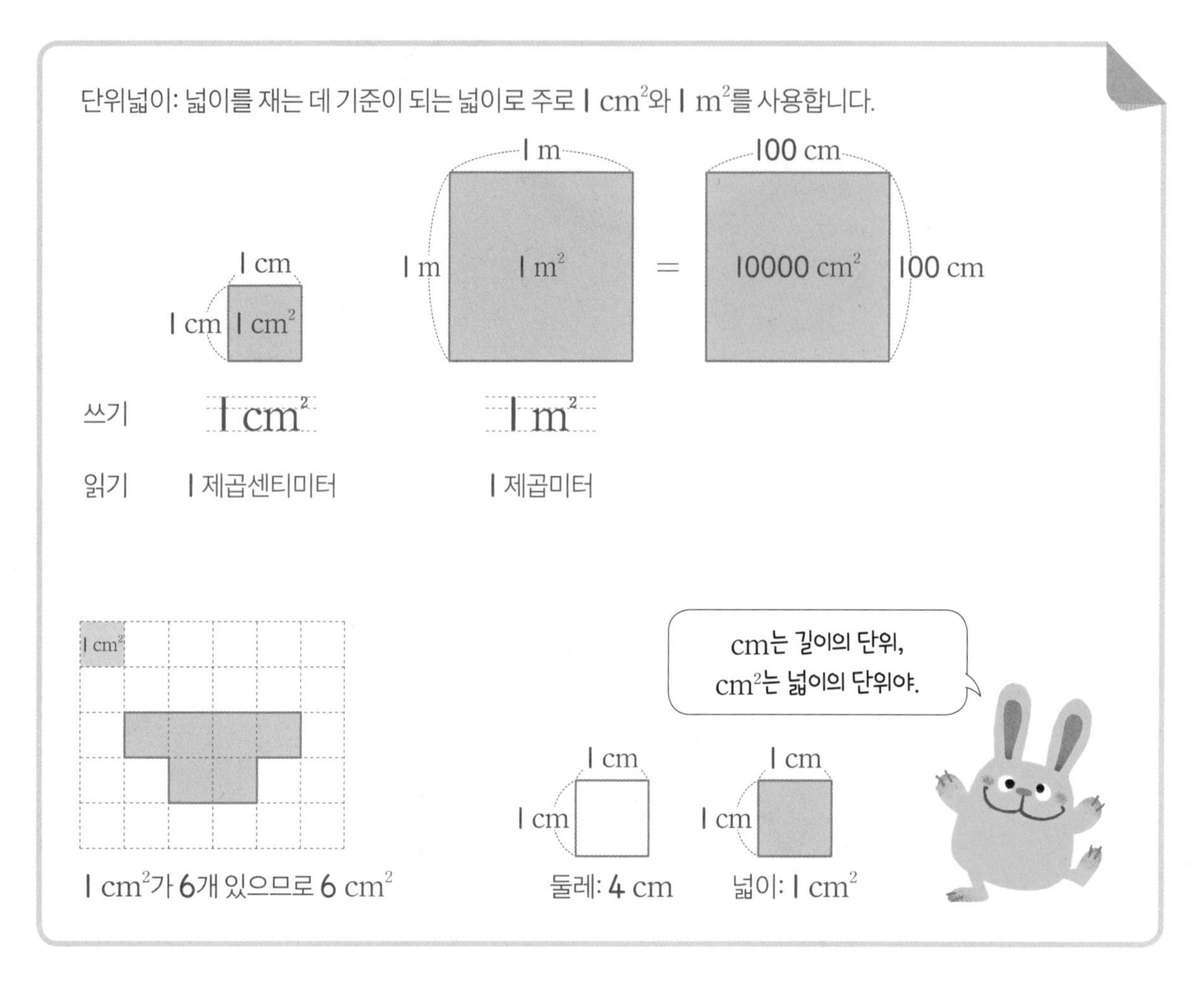

단위넓이: 넓이를 재는 데 기준이 되는 넓이로 주로 1 cm²와 1 m²를 사용합니다.
1 cm
1 cm
1 cm²
1 m
1 m
1 m²
=
100 cm
10000 cm²
100 cm
쓰기
1 cm²
1 m²
읽기
1 제곱센티미터
1 제곱미터
1 cm²
1 cm²가 6개 있으므로 6 cm²
cm는 길이의 단위,
cm²는 넓이의 단위야.
1 cm
1 cm
둘레: 4 cm
1 cm
1 cm
넓이: 1 cm²

1

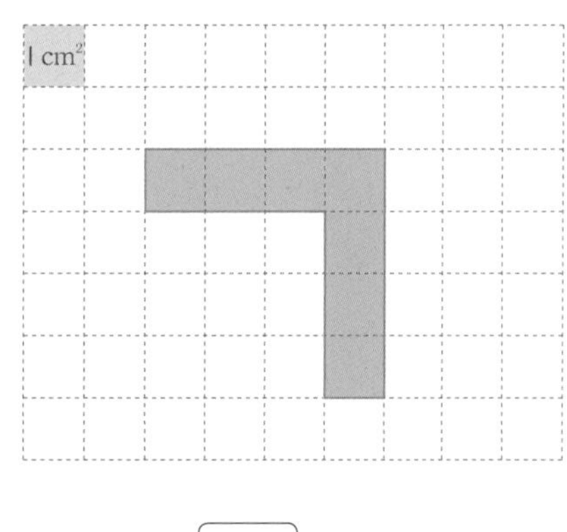

□ cm^2

2

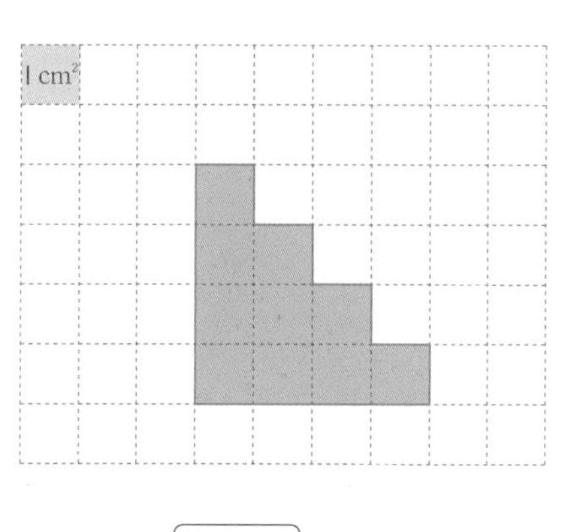

□ cm^2

3

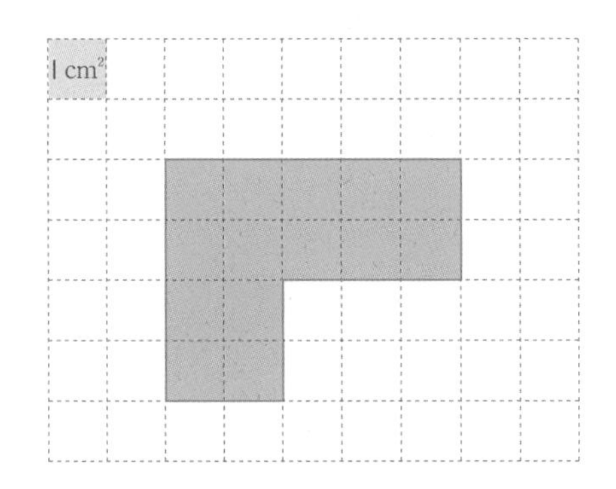

☐ cm^2

4

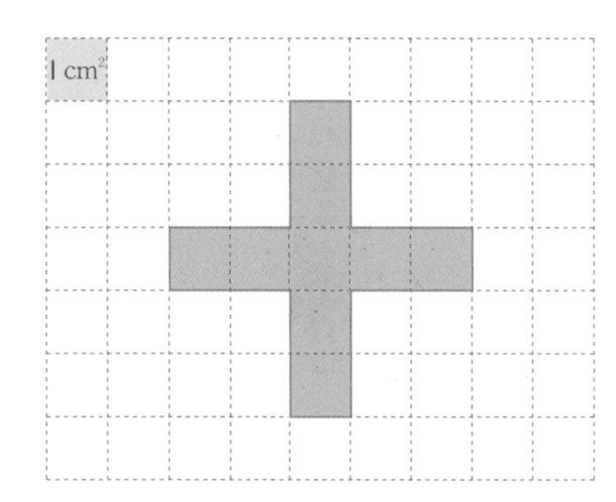

☐ cm^2

5

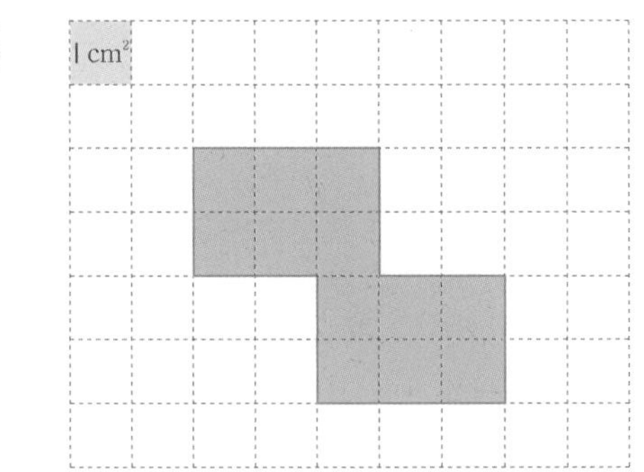

☐ cm^2

6

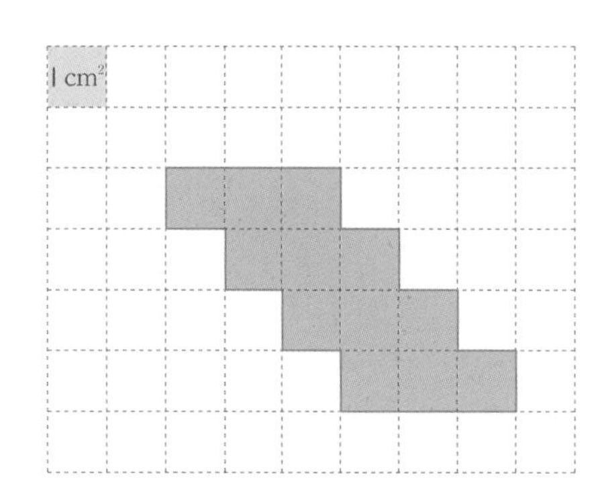

☐ cm^2

7

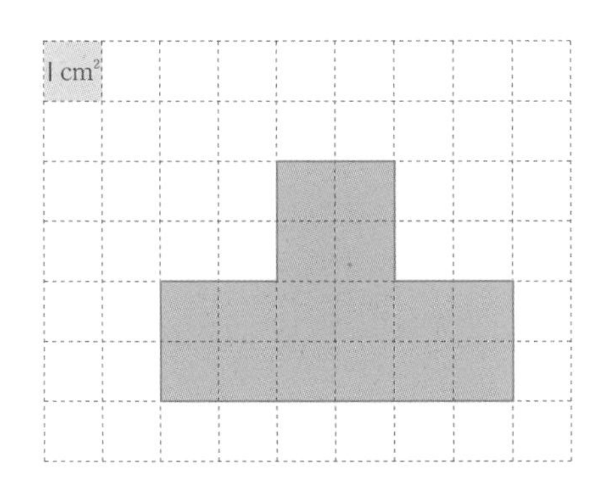

☐ cm^2

8

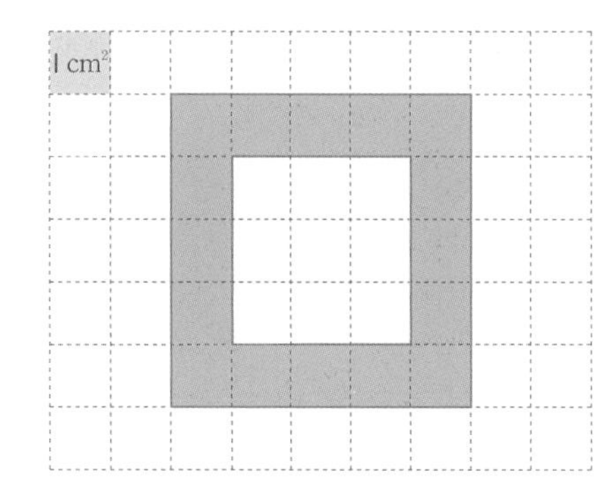

☐ cm^2

2일 단위넓이와 직사각형

단위넓이를 이용하여 직사각형의 넓이를 구해 □ 안에 써넣으시오.

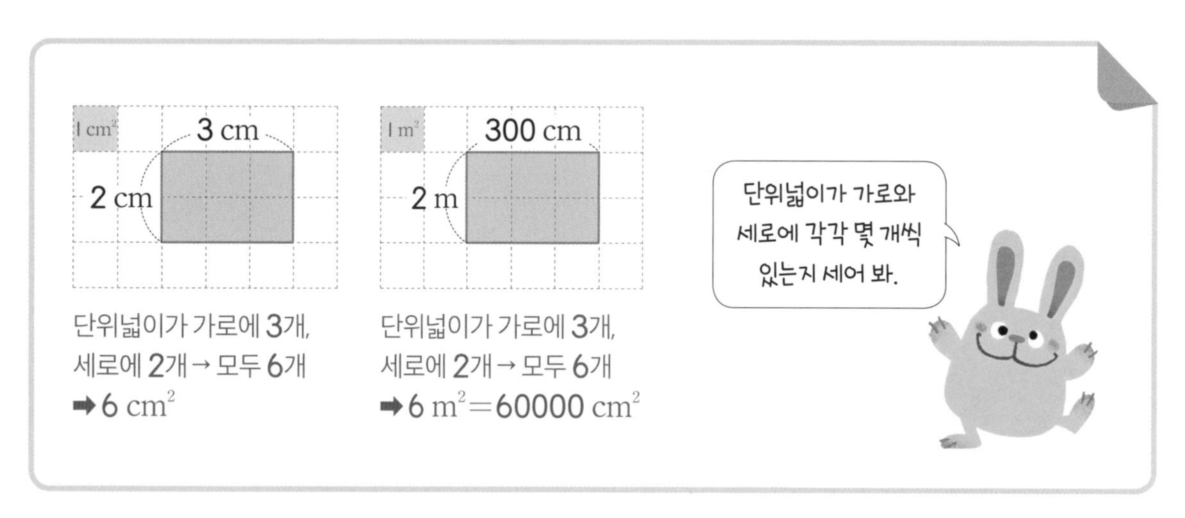

1 cm²
3 cm
2 cm
단위넓이가 가로에 3개,
세로에 2개 → 모두 6개
➡ 6 cm²
1 m²
300 cm
2 m
단위넓이가 가로에 3개,
세로에 2개 → 모두 6개
➡ 6 m²=60000 cm²
단위넓이가 가로와
세로에 각각 몇 개씩
있는지 세어 봐.

1

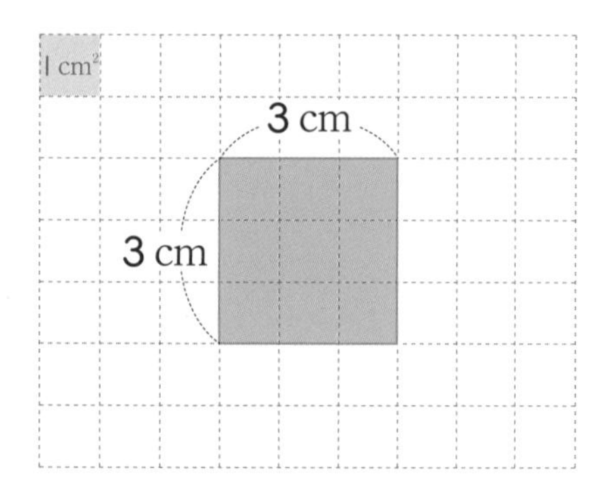

□ cm^2

2

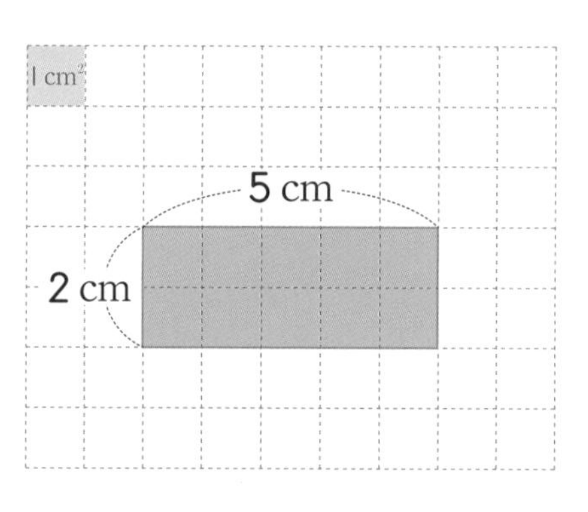

□ cm^2

3

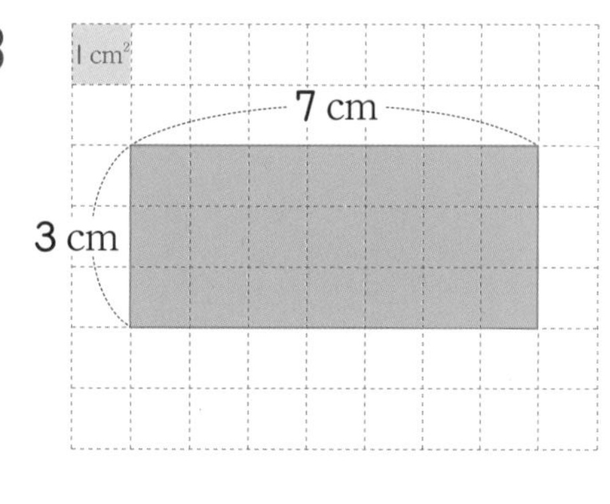

□ cm^2

4

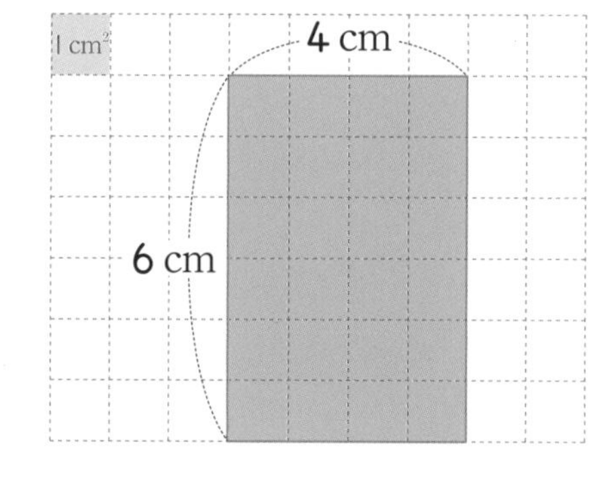

□ cm^2

5

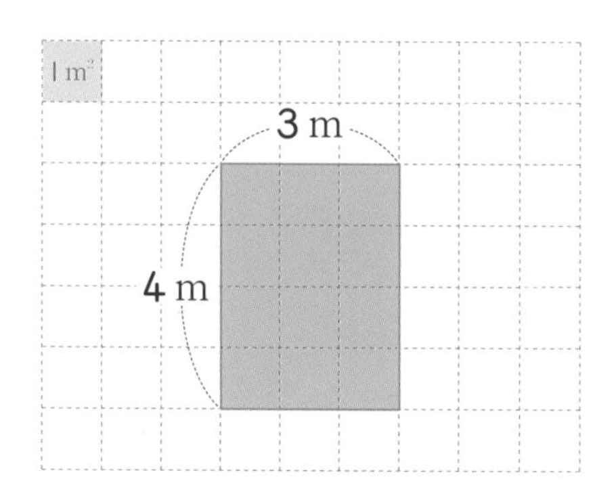

☐ m^2

6

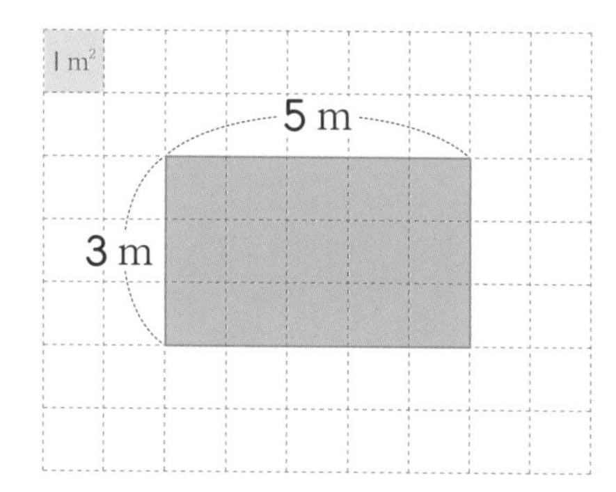

☐ m^2

7

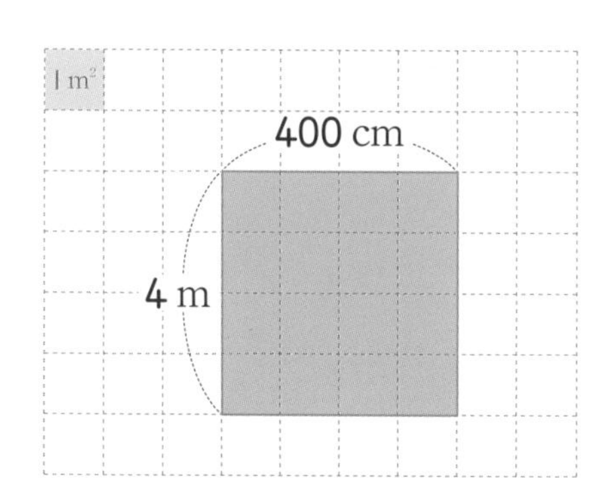

☐ m^2

8

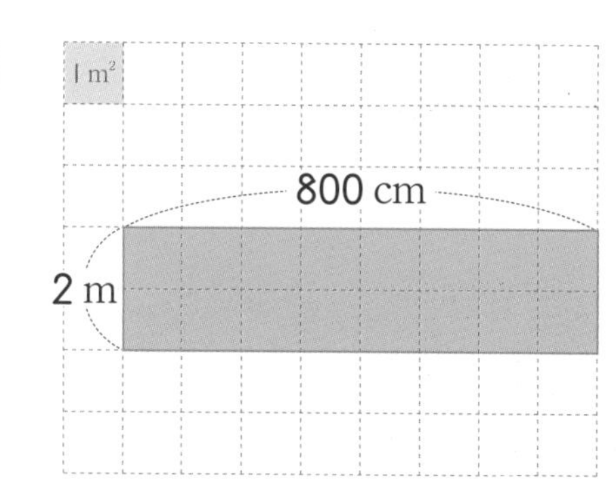

☐ m^2

9

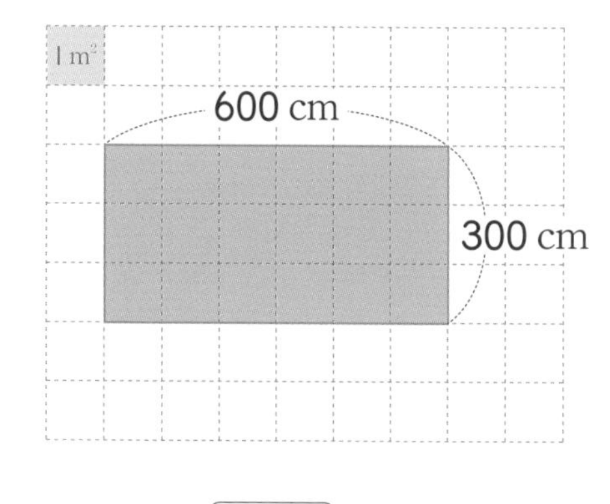

☐ m^2

10

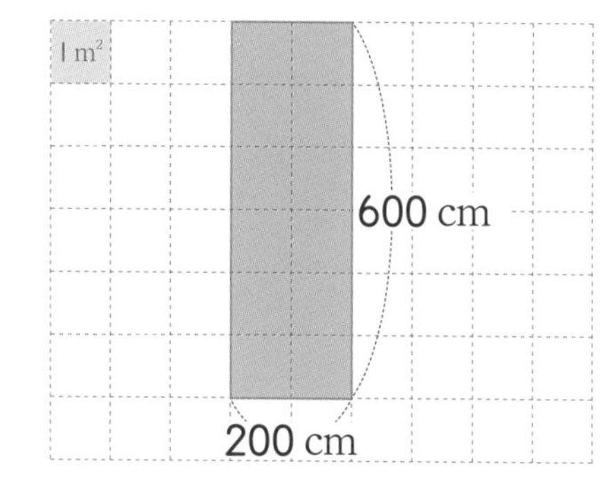

☐ m^2

3일 직사각형의 넓이

직사각형의 넓이를 구해 □ 안에 써넣으시오.

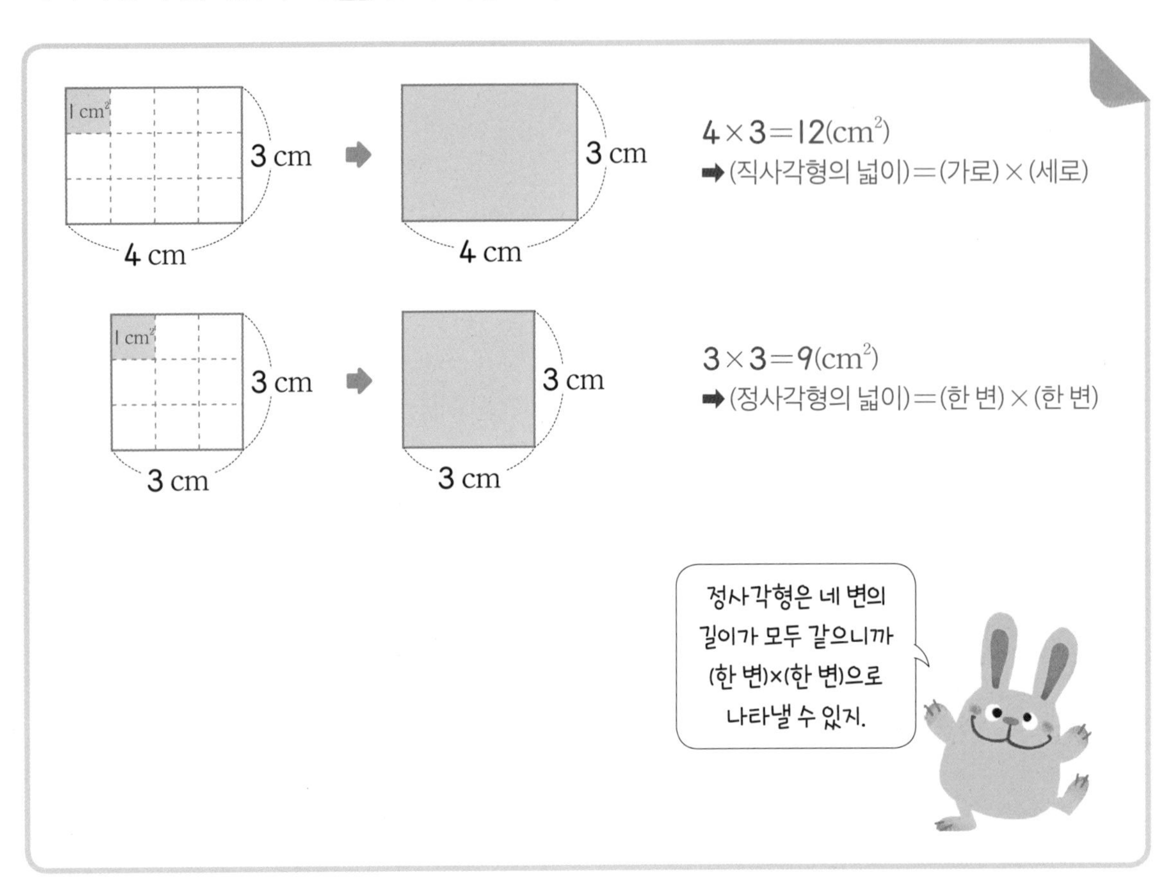

1 cm²
3 cm
4 cm
3 cm
4 cm
$4 \times 3 = 12(\text{cm}^2)$
➡ (직사각형의 넓이)=(가로)×(세로)
1 cm²
3 cm
3 cm
3 cm
3 cm
$3 \times 3 = 9(\text{cm}^2)$
➡ (정사각형의 넓이)=(한 변)×(한 변)
정사각형은 네 변의 길이가 모두 같으니까 (한 변)×(한 변)으로 나타낼 수 있지.

1

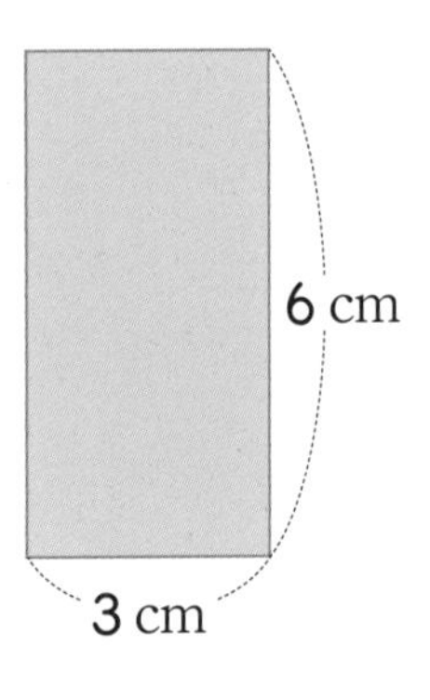

□ cm^2

2

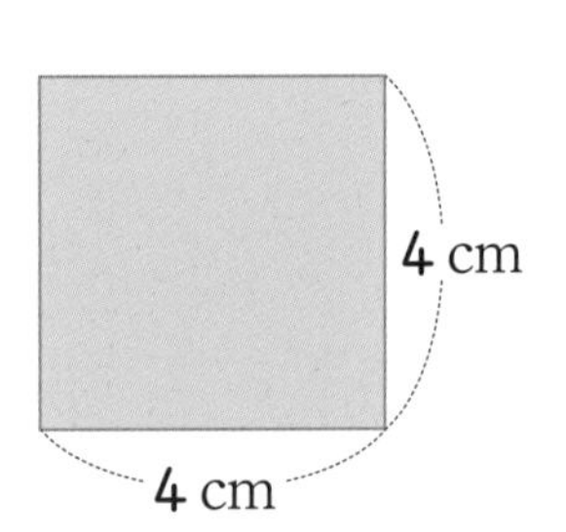

□ cm^2

3

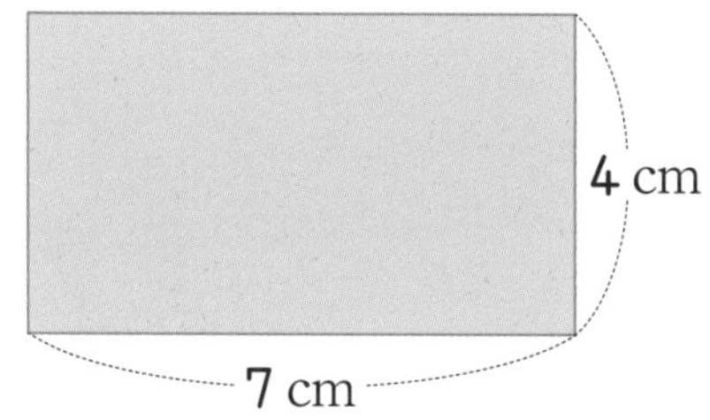

☐ cm^2

4

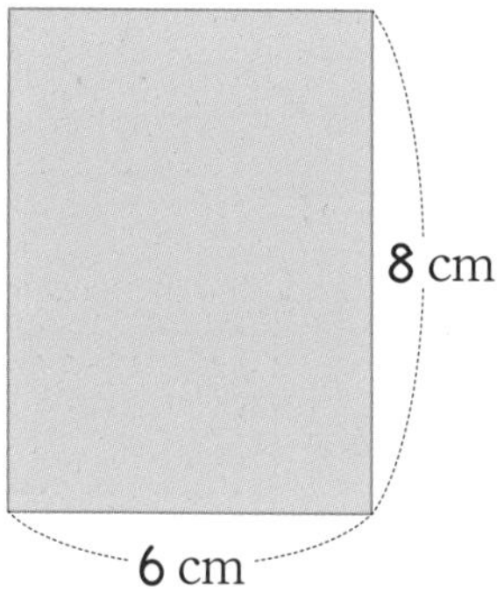

☐ cm^2

5

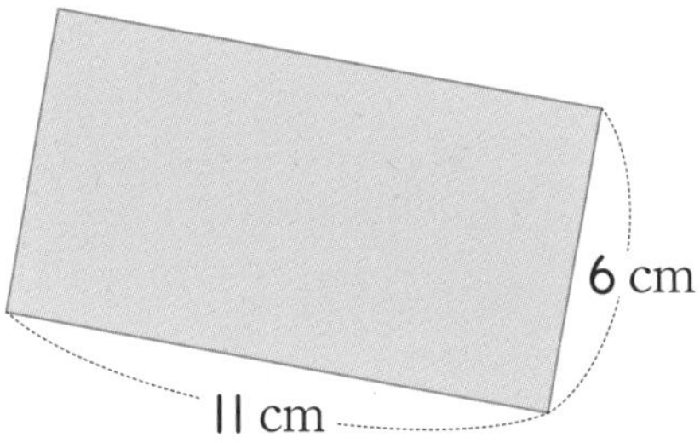

☐ cm^2

6

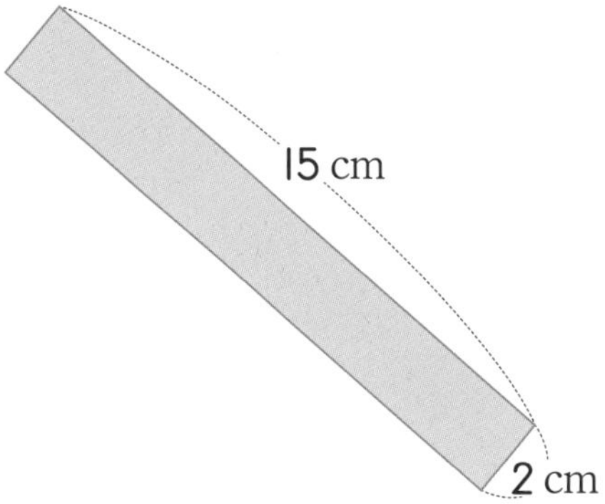

☐ cm^2

7

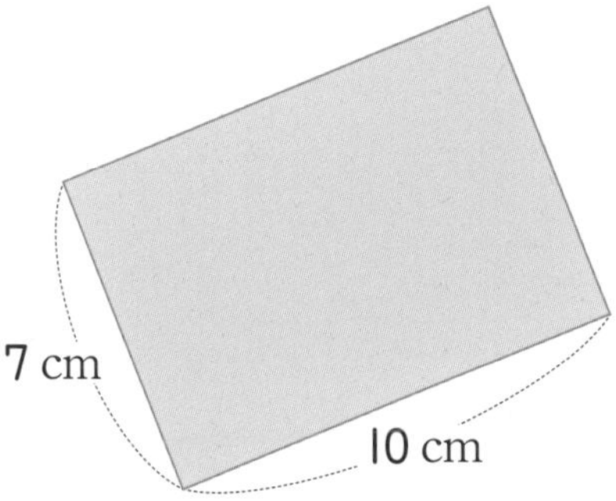

☐ cm^2

8

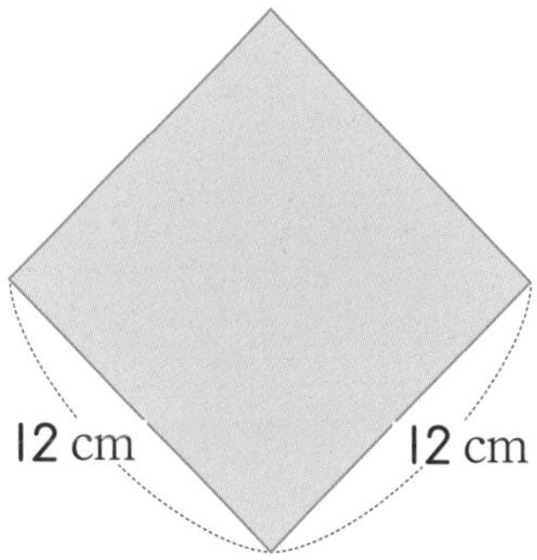

☐ cm^2

4일 직사각형 그리기

주어진 선분을 한 변으로 하는 정해진 넓이의 직사각형을 그려 보시오.

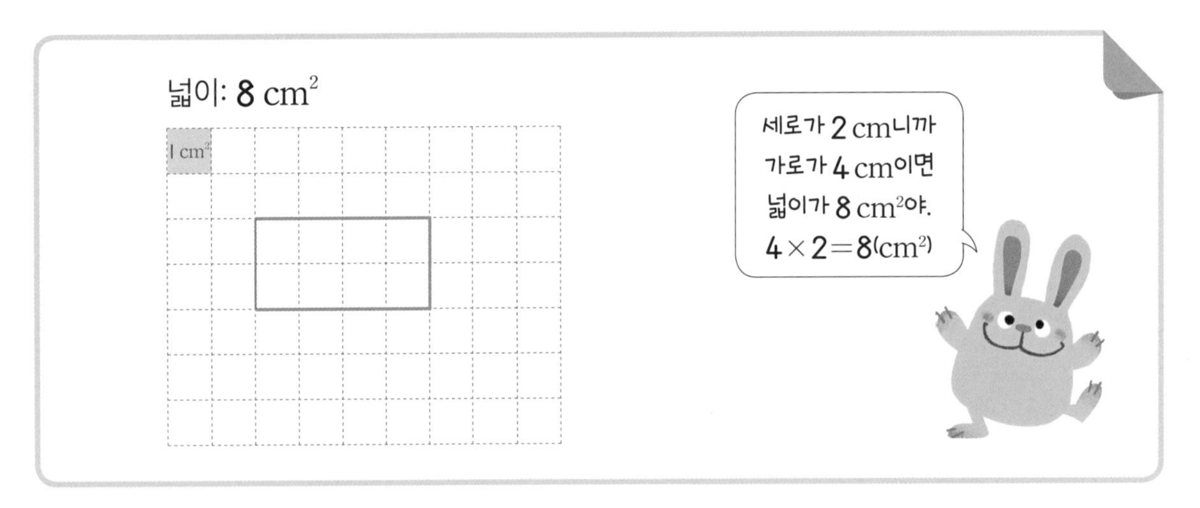

1 넓이: 6 cm^2

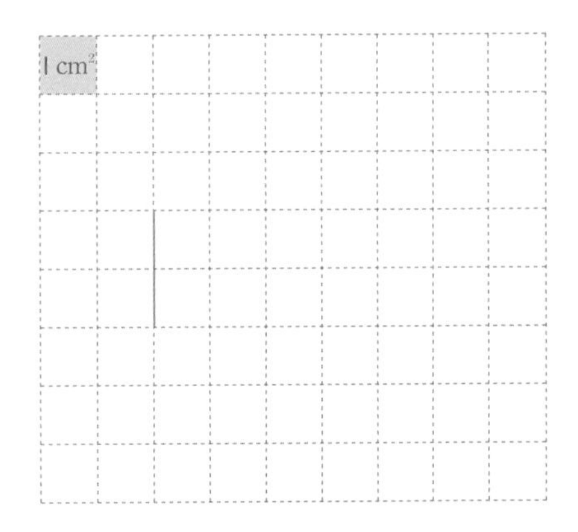

2 넓이: 9 cm^2

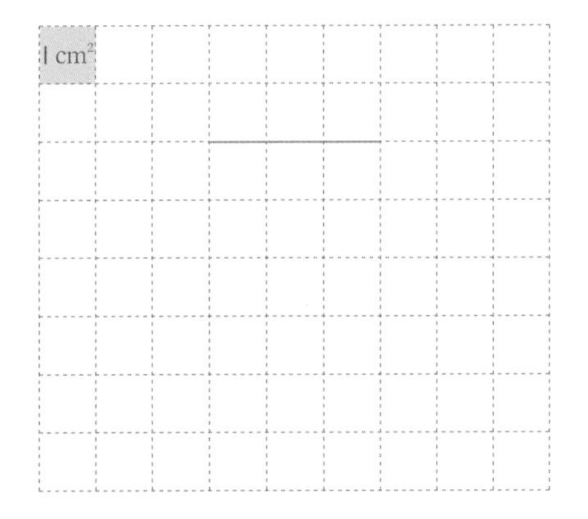

3 넓이: 12 cm^2

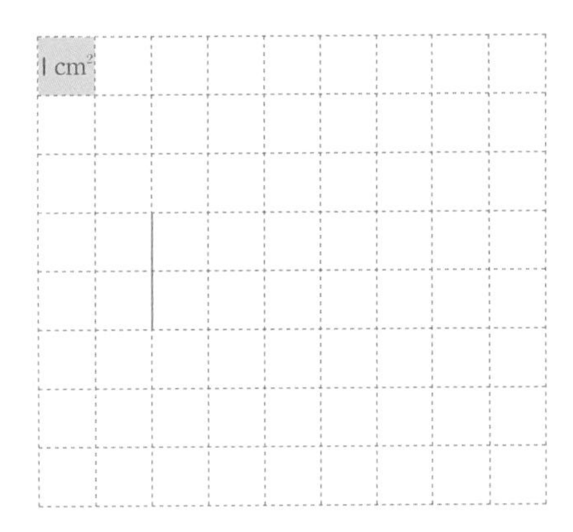

4 넓이: 12 cm^2

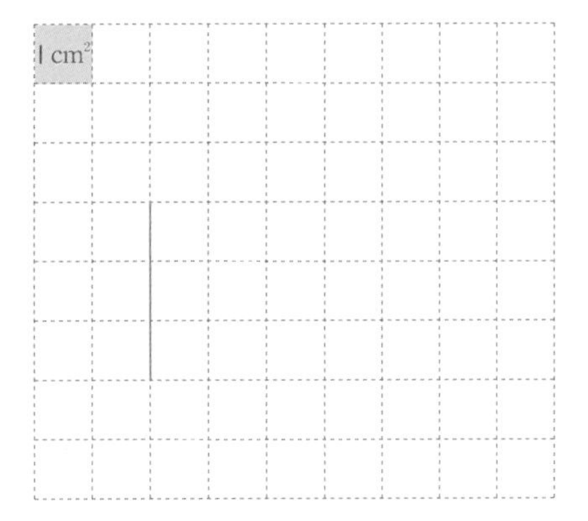

5 넓이: 25 cm^2

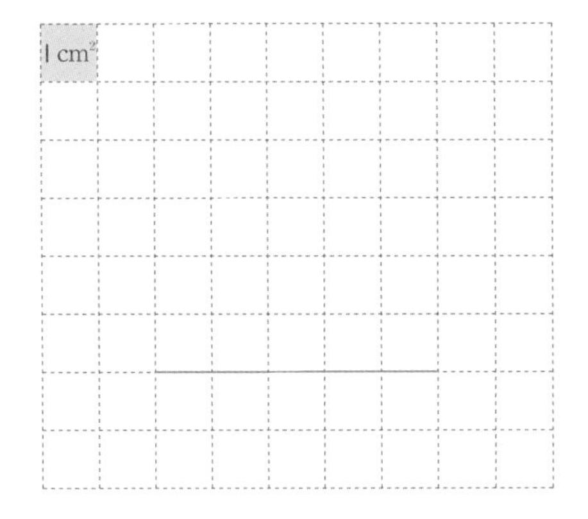

6 넓이: 24 cm^2

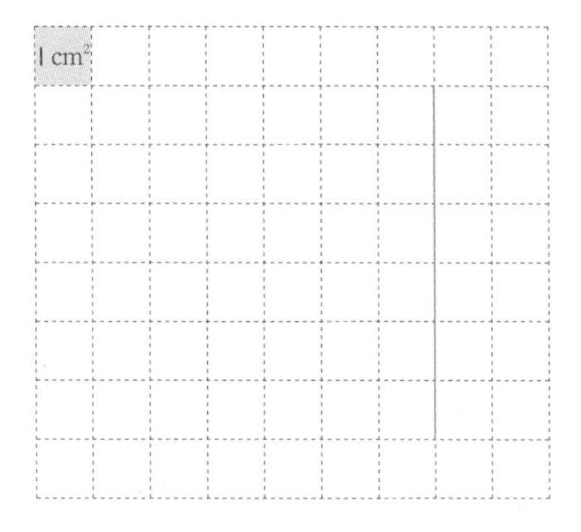

7 넓이: 40 cm^2

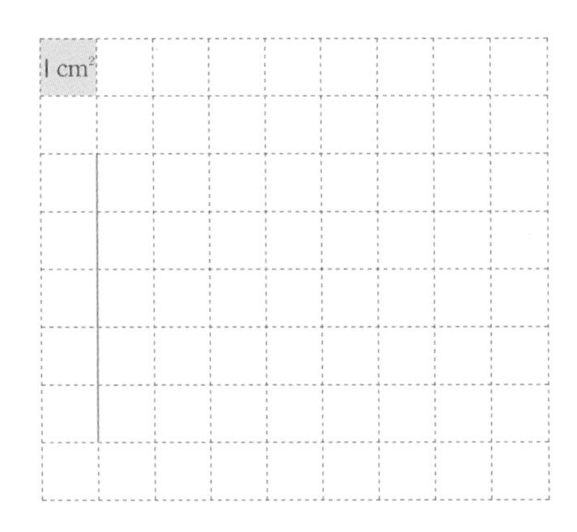

8 넓이: 42 cm^2

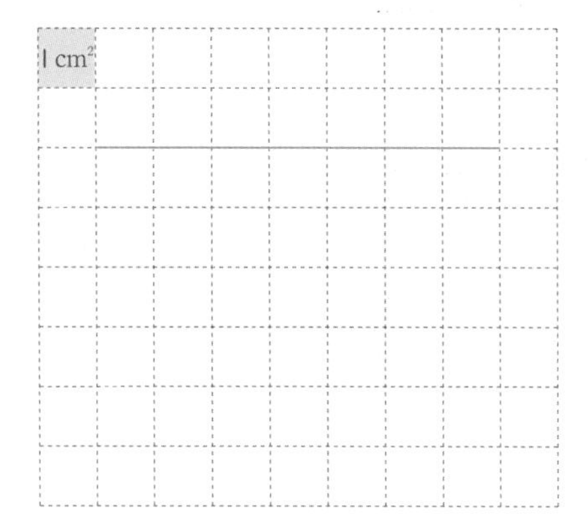

9 넓이: 27 cm^2

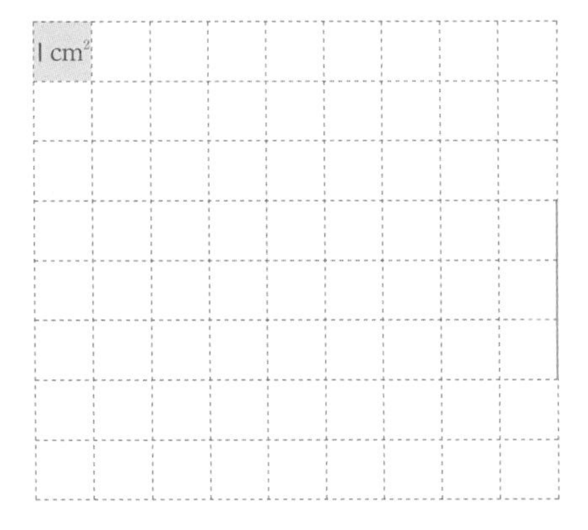

10 넓이: 32 cm^2

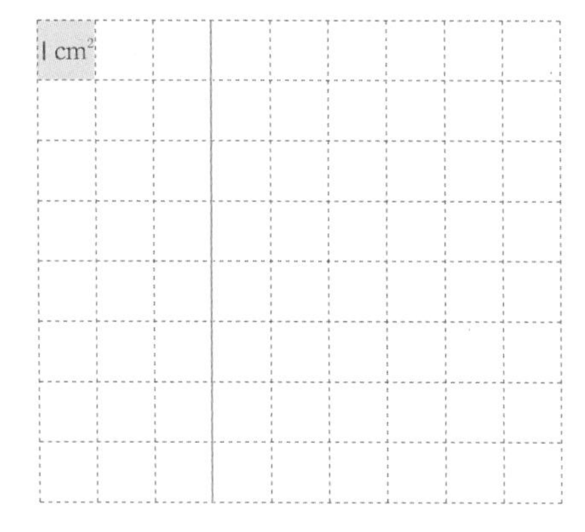

5일 둘레와 넓이

둘레가 주어진 직사각형입니다. 넓이를 구해 □ 안에 써넣으시오.

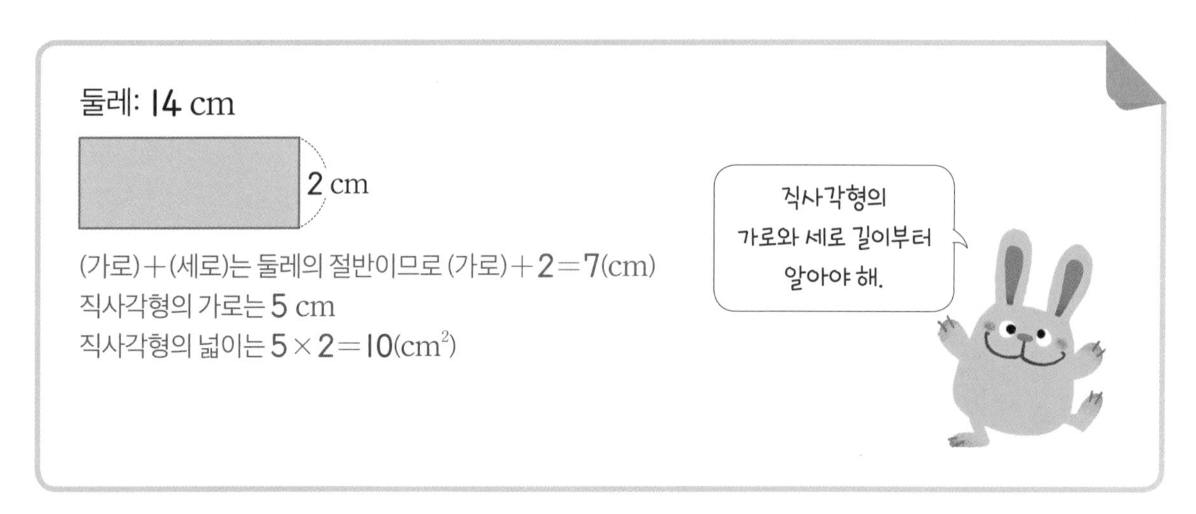

둘레: 14 cm
2 cm
(가로)+(세로)는 둘레의 절반이므로 (가로)+2=7(cm)
직사각형의 가로는 5 cm
직사각형의 넓이는 5×2=10(cm²)
직사각형의
가로와 세로 길이부터
알아야 해.

1 둘레: 14 cm

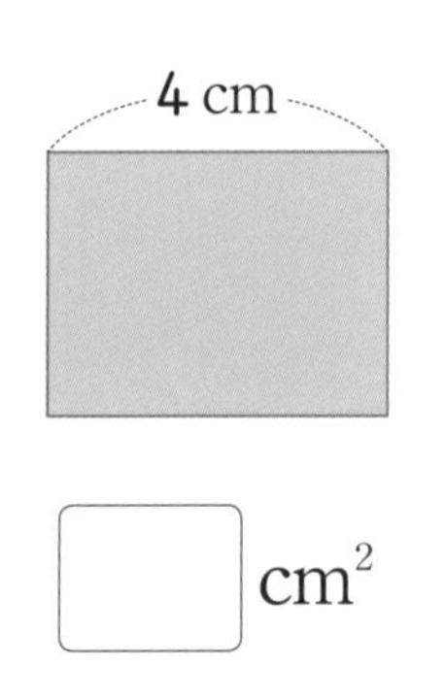

□ cm^2

2 둘레: 16 cm

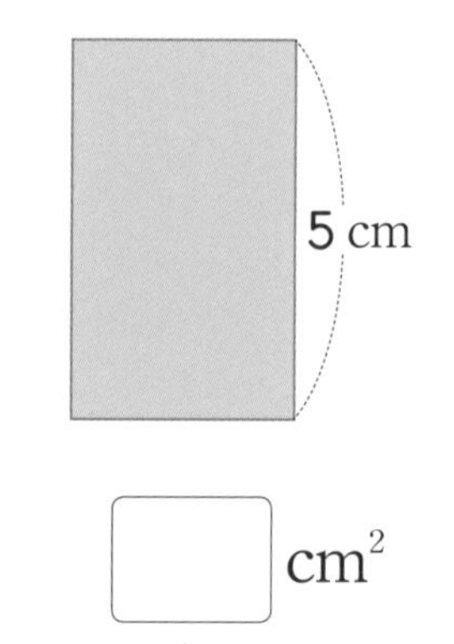

□ cm^2

3 둘레: 16 cm

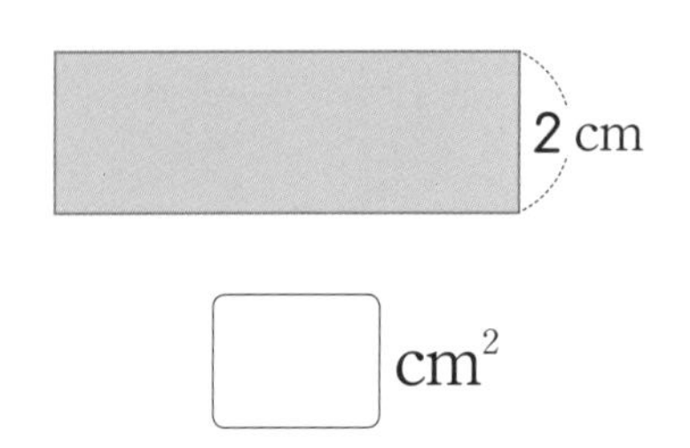

□ cm^2

4 둘레: 18 cm

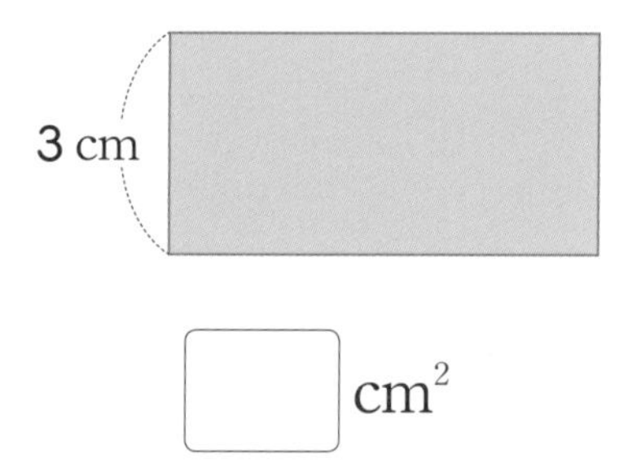

□ cm^2

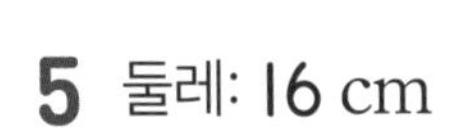

5 둘레: 16 cm

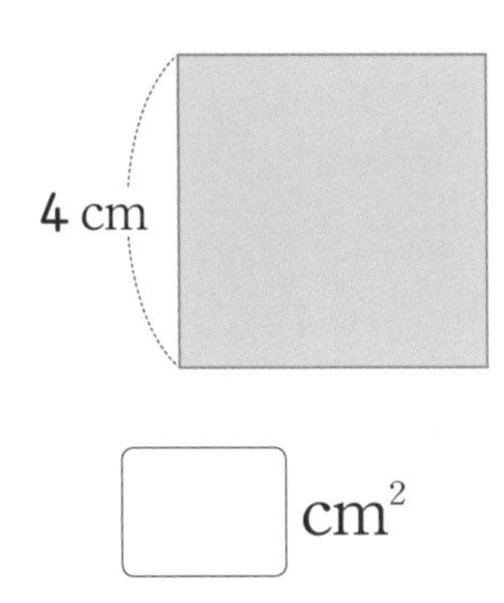

6 둘레: 22 cm

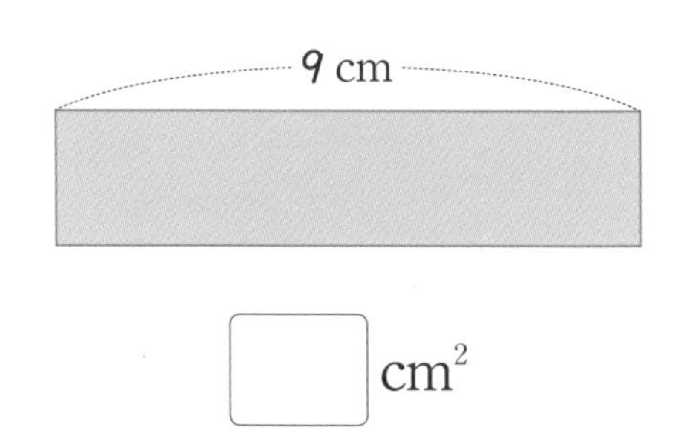

7 둘레: 20 cm

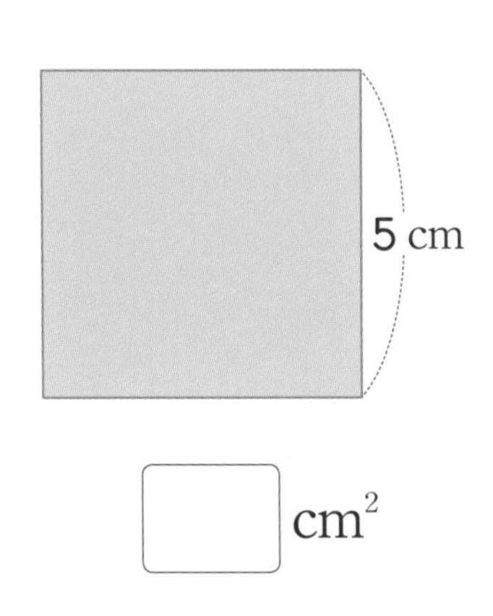

8 둘레: 22 cm

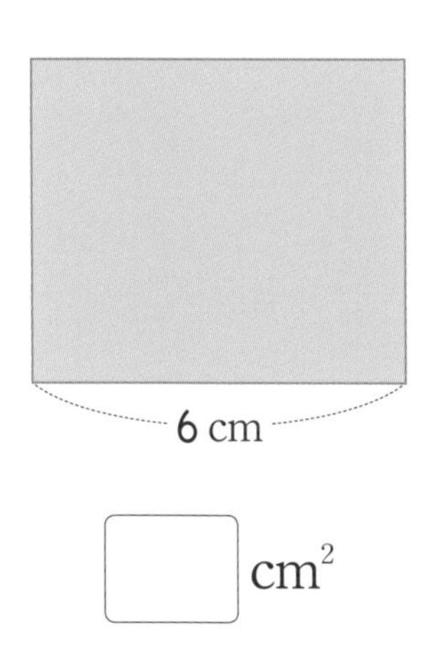

9 둘레: 24 cm

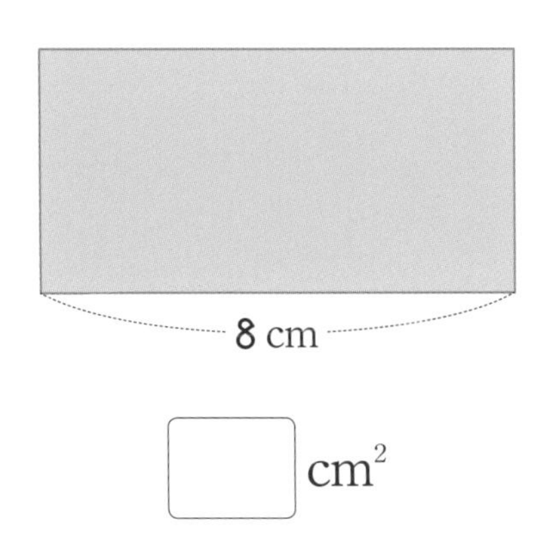

10 둘레: 30 cm

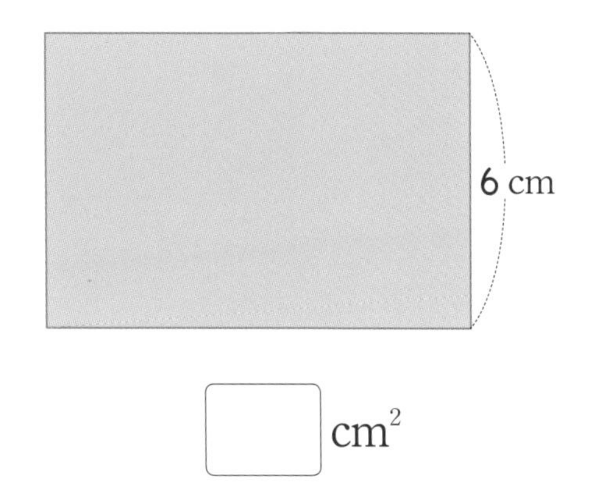

단위넓이를 이용하여 다각형의 넓이를 구해 □ 안에 써넣으시오.

1

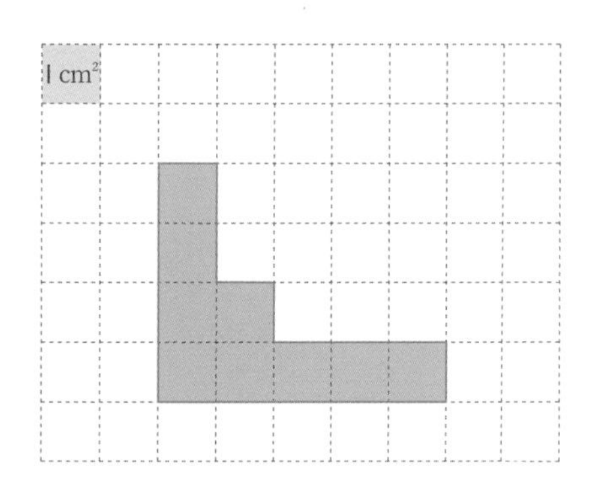

□ cm^2

2

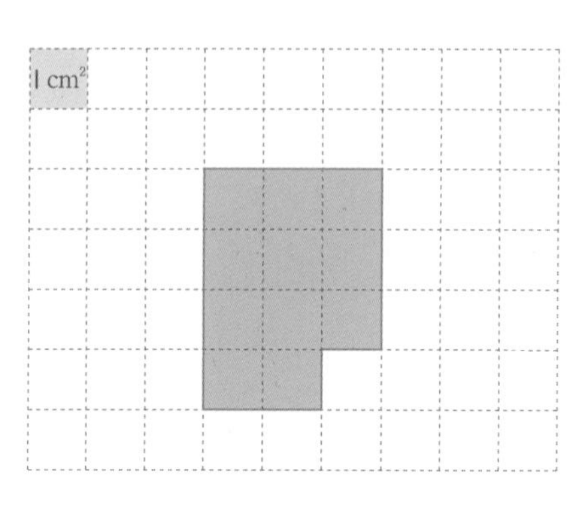

□ cm^2

직사각형의 넓이를 구해 □ 안에 써넣으시오.

3

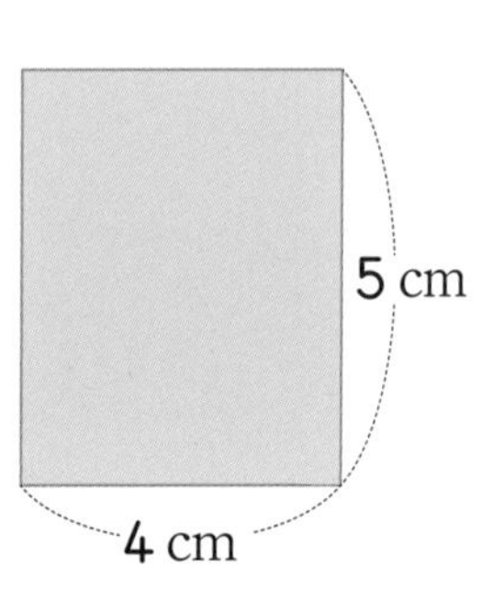

□ cm^2

4

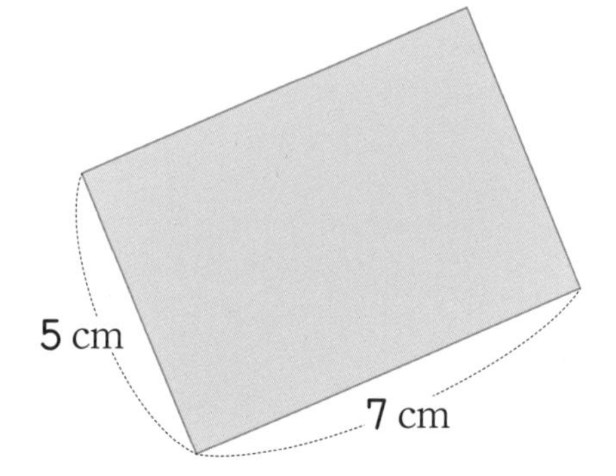

□ cm^2

주어진 선분을 한 변으로 하는 정해진 넓이의 직사각형을 그려 보시오.

5 넓이: 10 cm^2

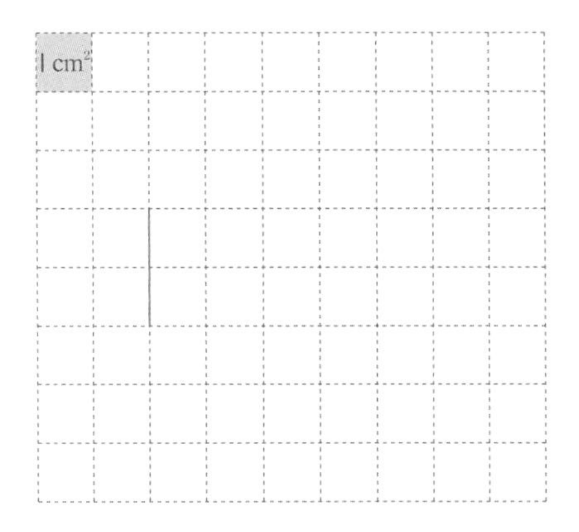

6 넓이: 36 cm^2

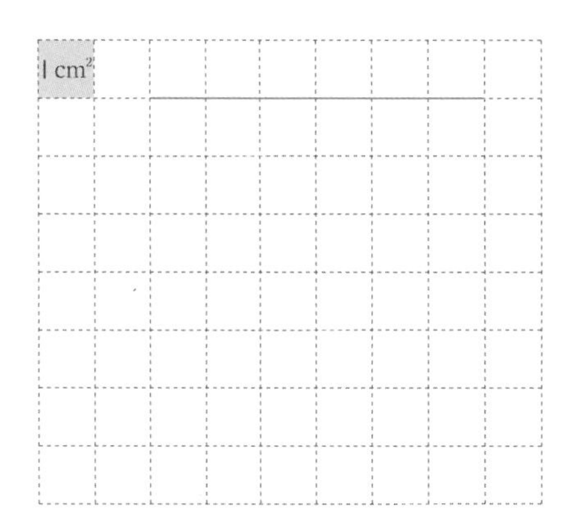

둘레가 주어진 직사각형입니다. 넓이를 구해 □ 안에 써넣으시오.

7 둘레: 20 cm

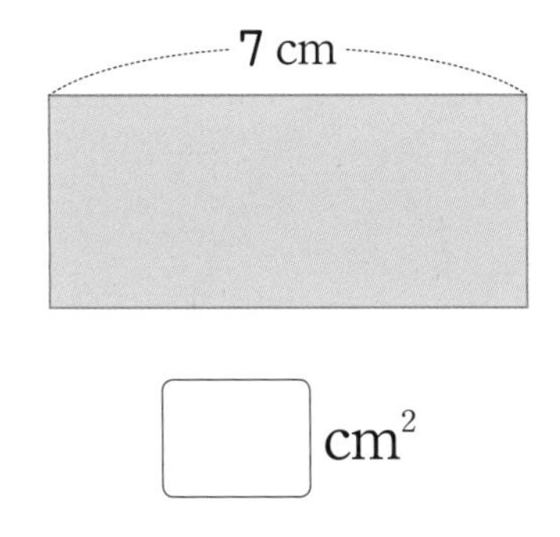

□ cm^2

8 둘레: 18 cm

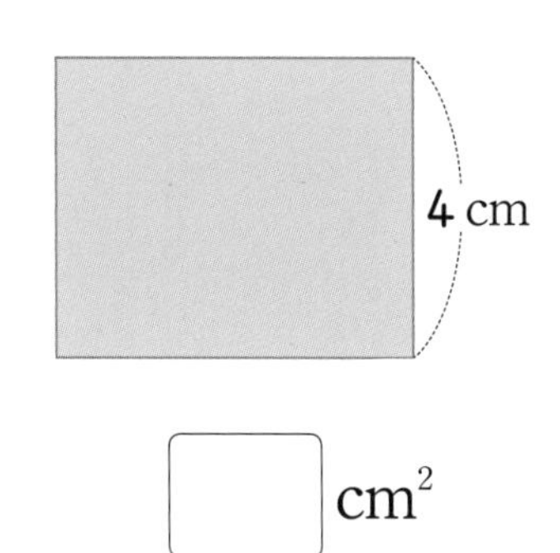

□ cm^2

2주차

평행사변형, 삼각형의 넓이

1일 단위넓이와 평행사변형 ······ 24

2일 평행사변형의 넓이 ······ 26

3일 평행사변형을 이용한 넓이 ······ 28

4일 삼각형의 넓이 ······ 30

5일 길이 구하기 ······ 32

확인학습 ······ 34

1일 단위넓이와 평행사변형

단위넓이를 이용하여 평행사변형의 넓이를 구해 □ 안에 써넣으시오.

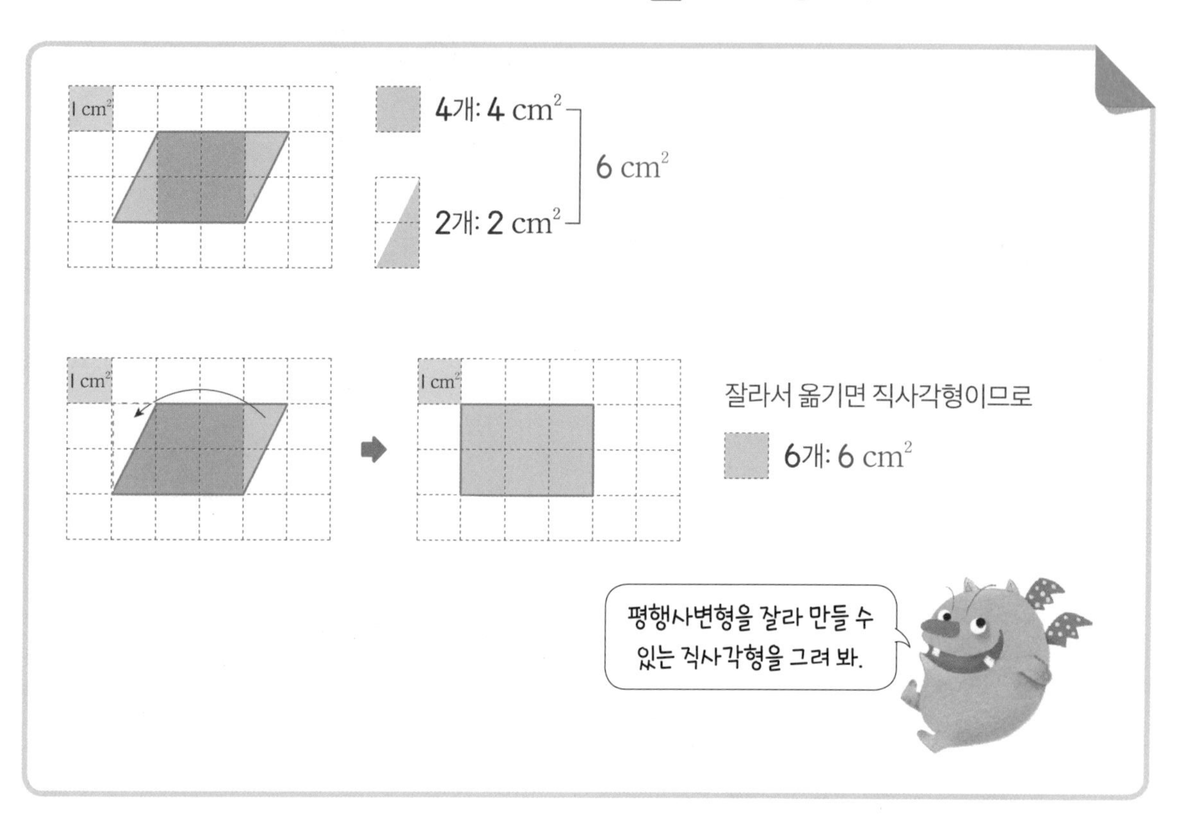

1

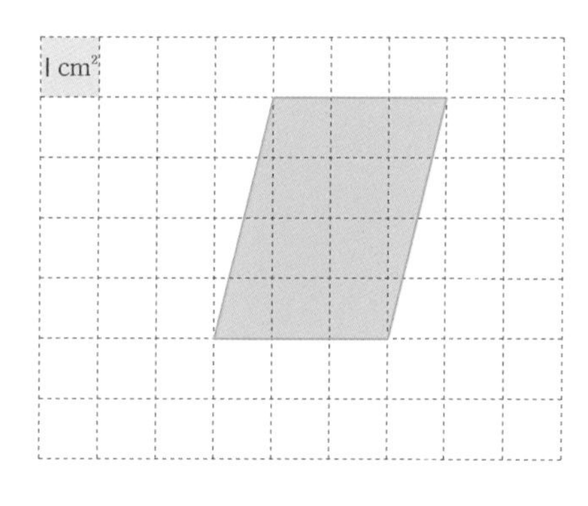

□ cm^2

2

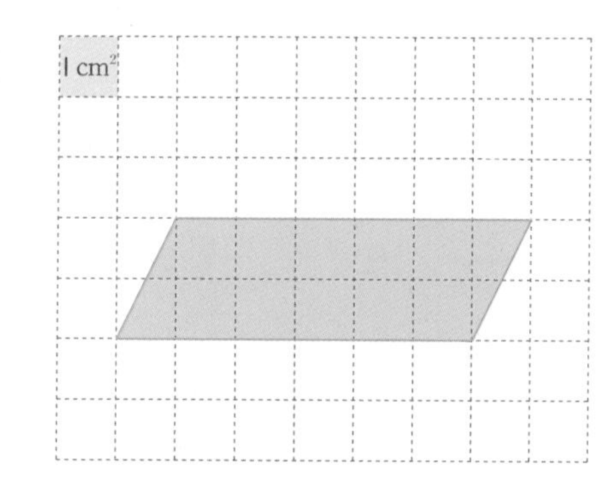

□ cm^2

3

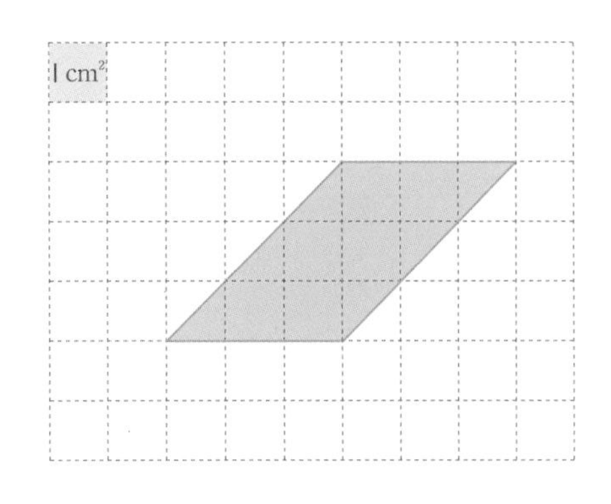

☐ cm^2

4

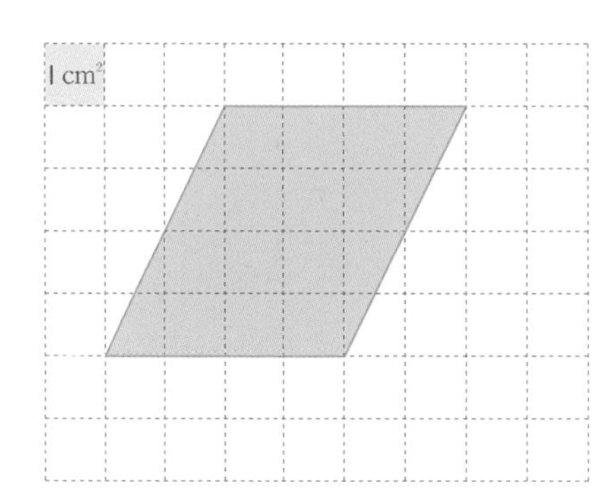

☐ cm^2

5

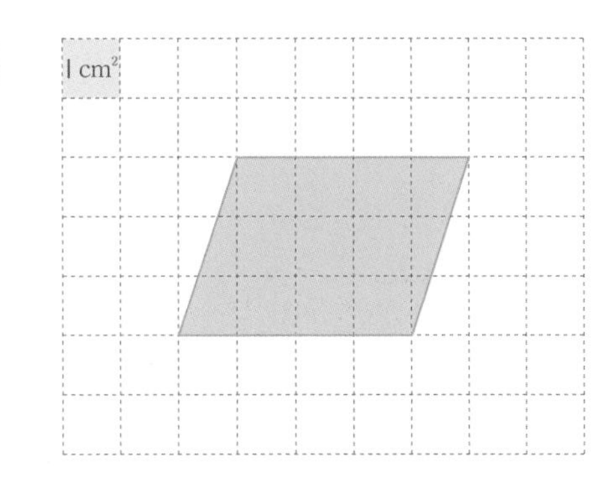

☐ cm^2

6

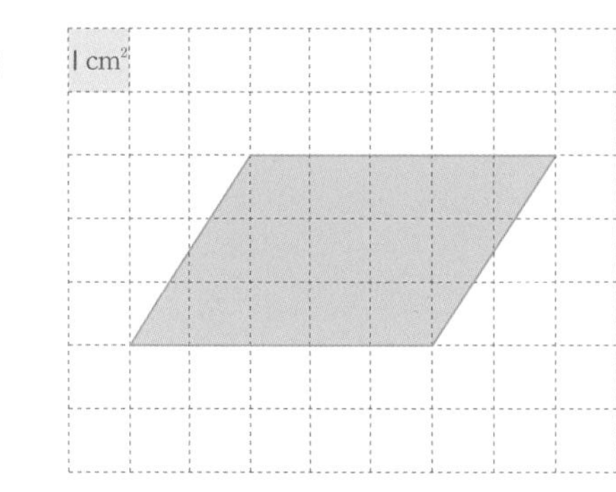

☐ cm^2

7

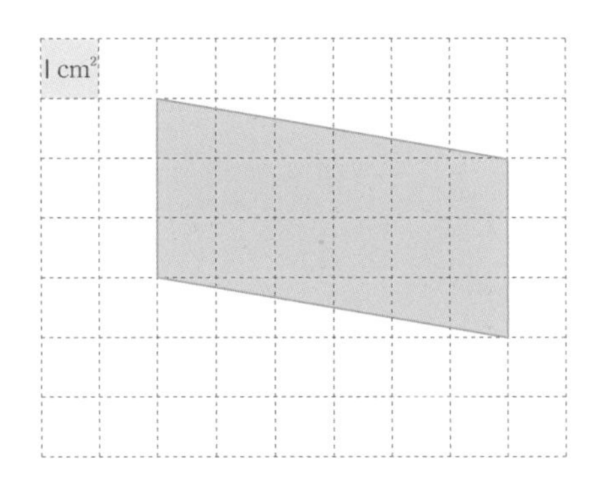

☐ cm^2

8

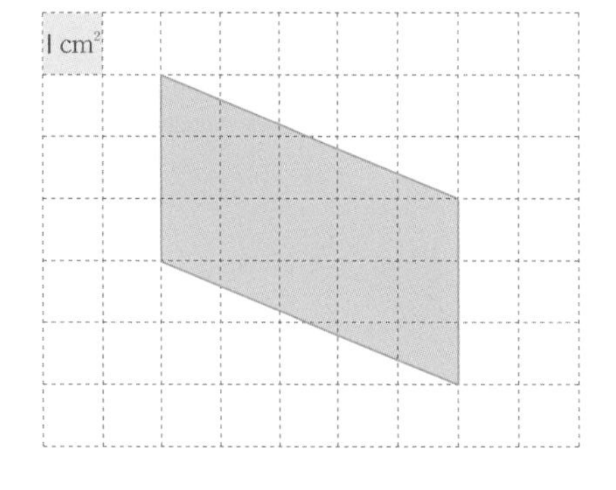

☐ cm^2

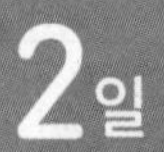

2일 평행사변형의 넓이

 평행사변형의 넓이를 구해 □ 안에 써넣으시오.

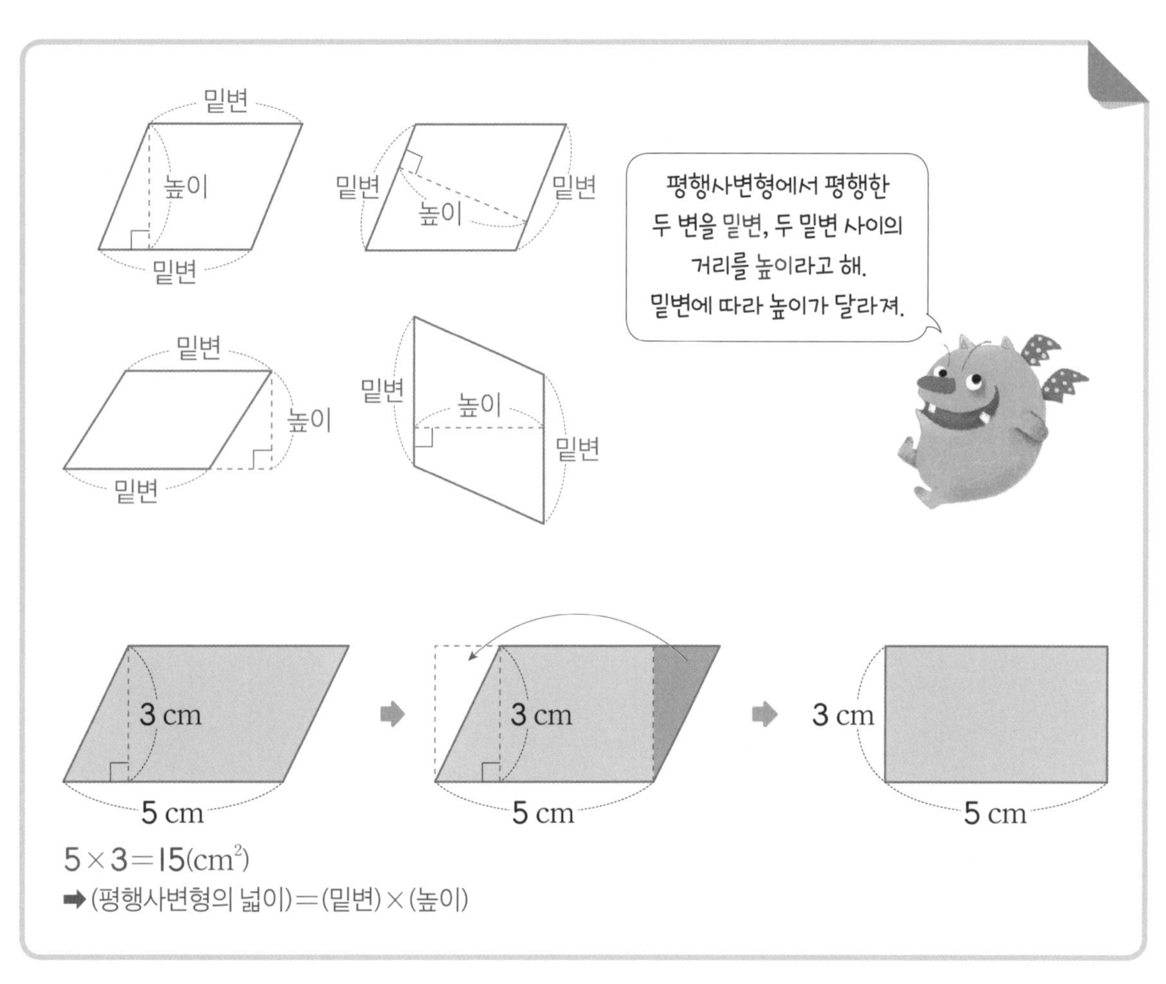

$5\times3=15(\text{cm}^2)$

➡ (평행사변형의 넓이)=(밑변)×(높이)

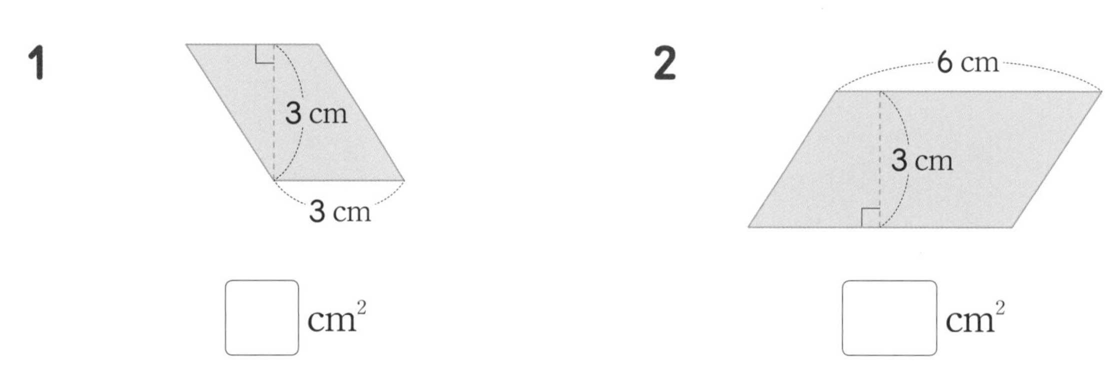

3

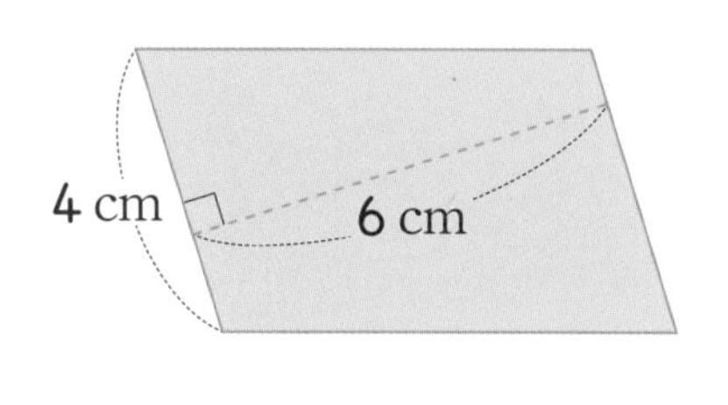

☐ cm^2

4

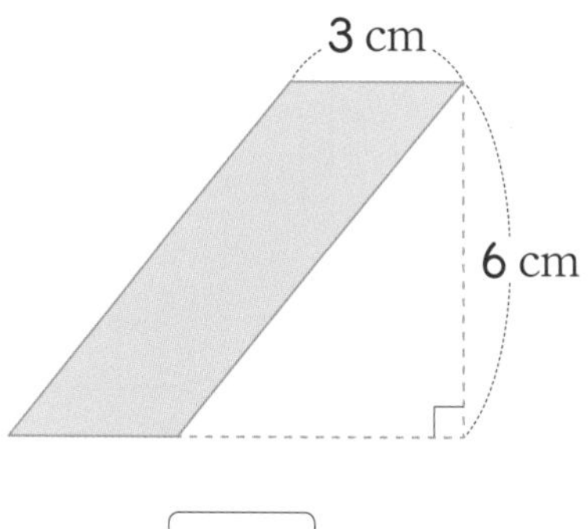

☐ cm^2

5

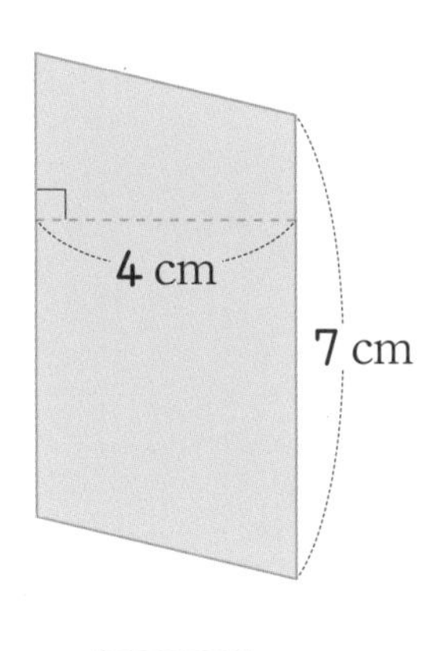

☐ cm^2

6

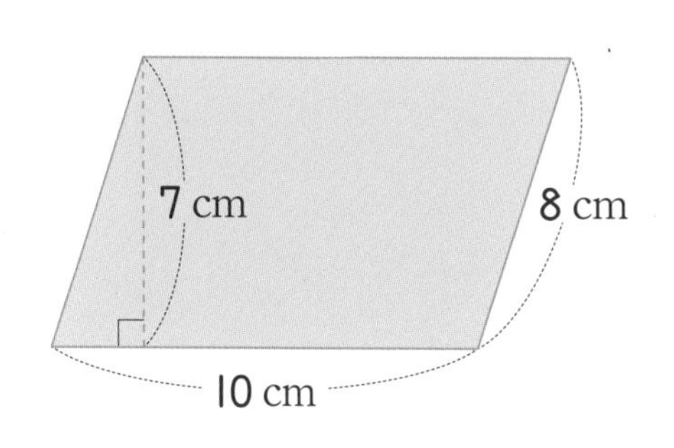

☐ cm^2

7

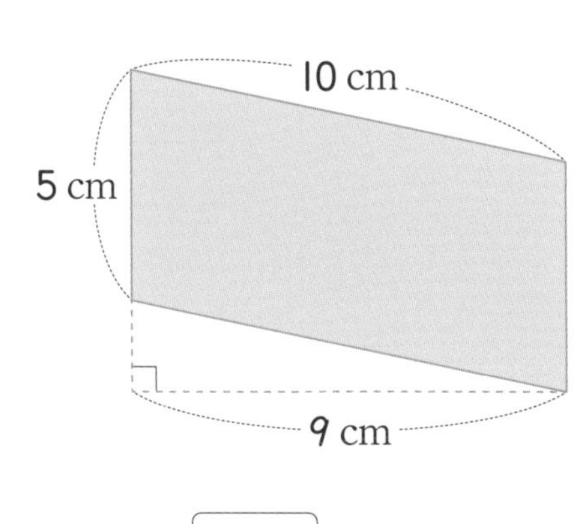

☐ cm^2

8

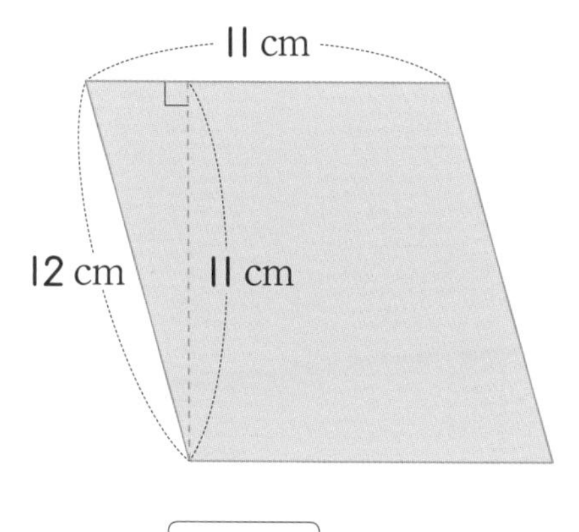

☐ cm^2

3일 평행사변형을 이용한 넓이

점선을 한 변으로 하는 합동인 삼각형을 그려 평행사변형을 만들고, 평행사변형과 삼각형의 넓이를 각각 구해 □ 안에 써넣으시오.

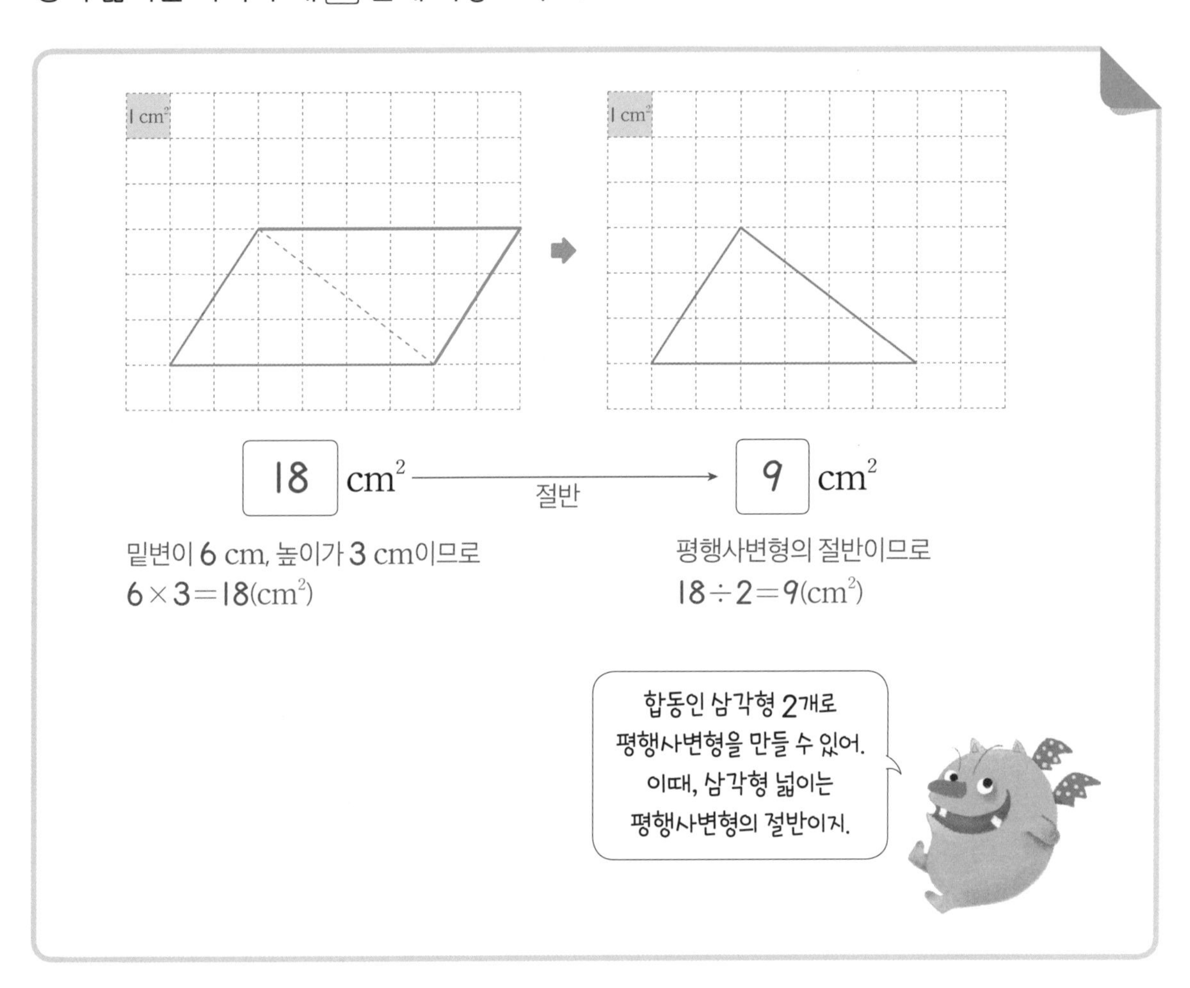

1 cm²
1 cm²
18 cm²
절반
9 cm²
밑변이 6 cm, 높이가 3 cm이므로
6×3=18(cm²)
평행사변형의 절반이므로
18÷2=9(cm²)
합동인 삼각형 2개로
평행사변형을 만들 수 있어.
이때, 삼각형 넓이는
평행사변형의 절반이지.

1

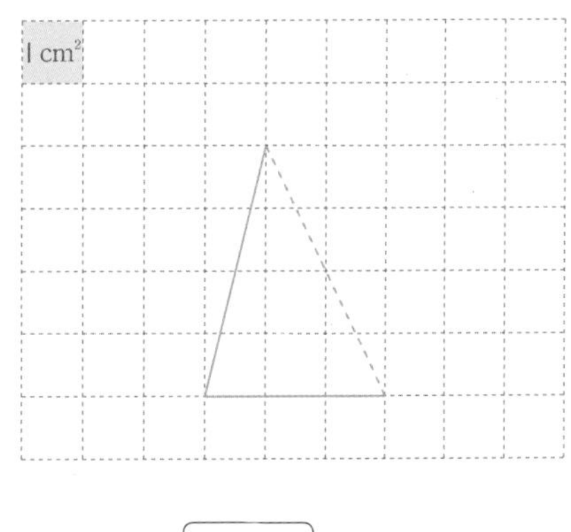

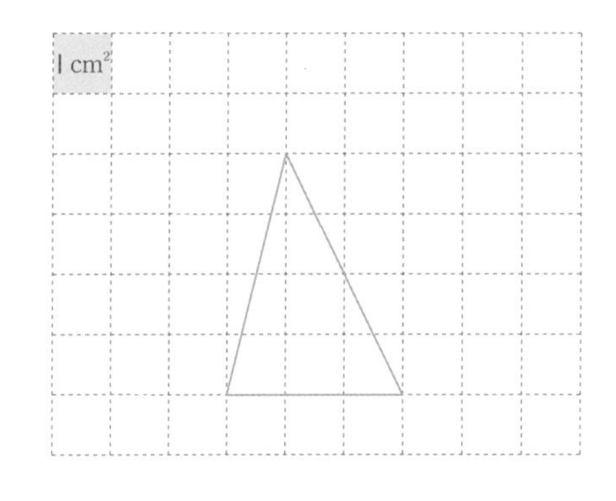

□ cm^2 □ cm^2

2

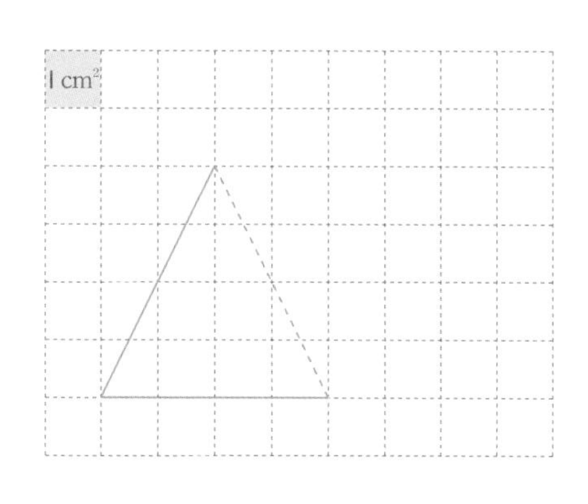

➡

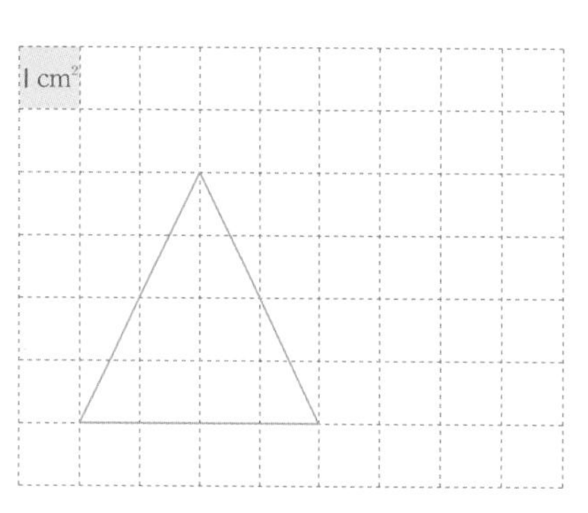

□ cm²　　□ cm²

3

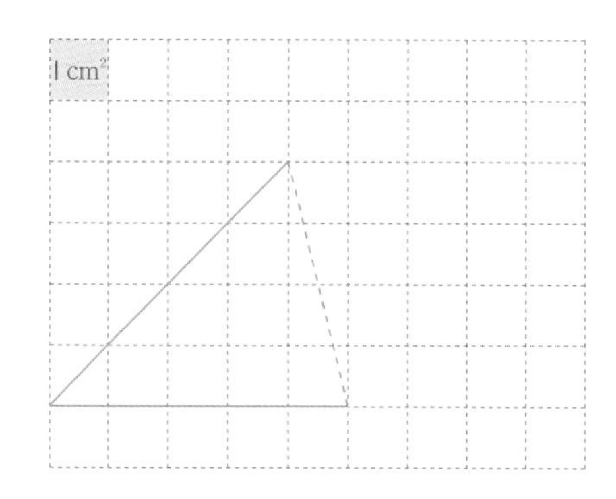

➡

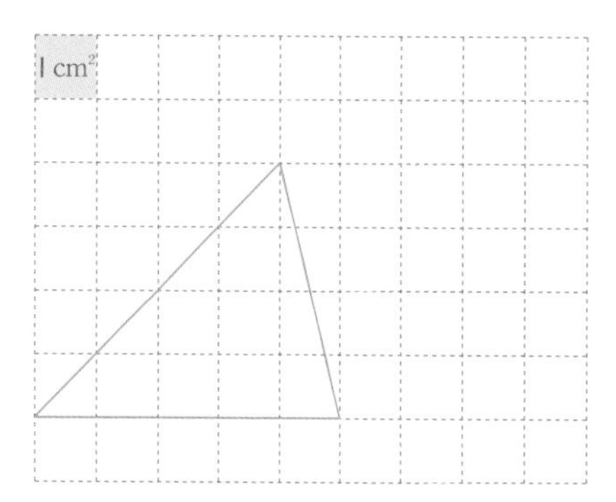

□ cm²　　□ cm²

4

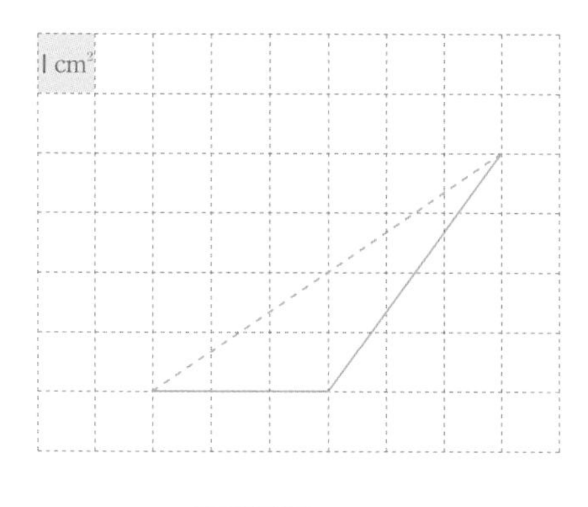

➡

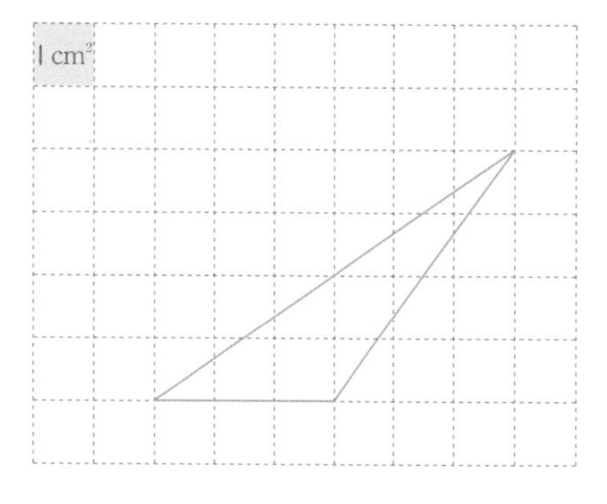

□ cm²　　□ cm²

4일 삼각형의 넓이

 삼각형의 넓이를 구해 □안에 써넣으시오.

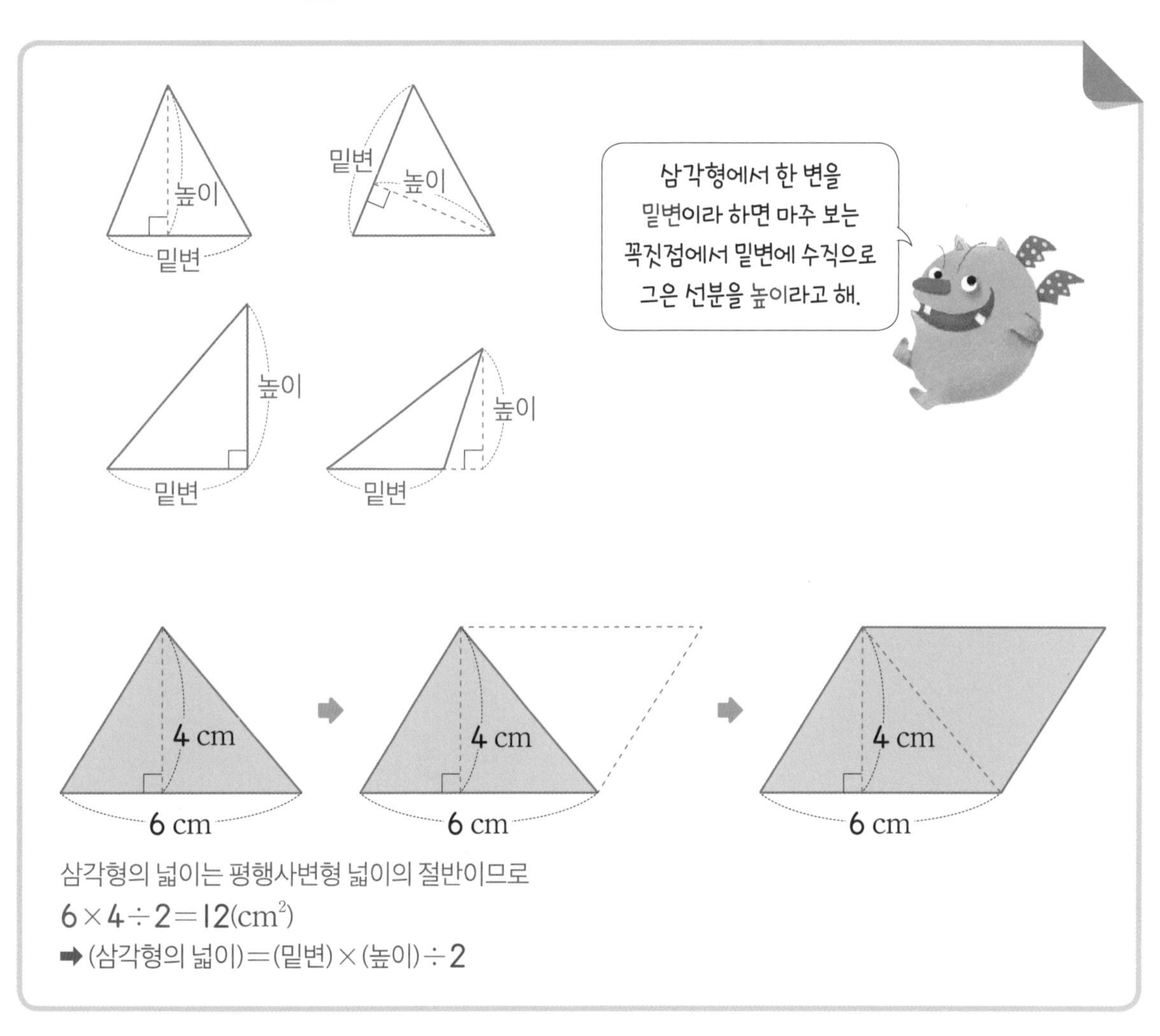

삼각형의 넓이는 평행사변형 넓이의 절반이므로

$6 \times 4 \div 2 = 12(\text{cm}^2)$

➡ (삼각형의 넓이)=(밑변)×(높이)÷2

1

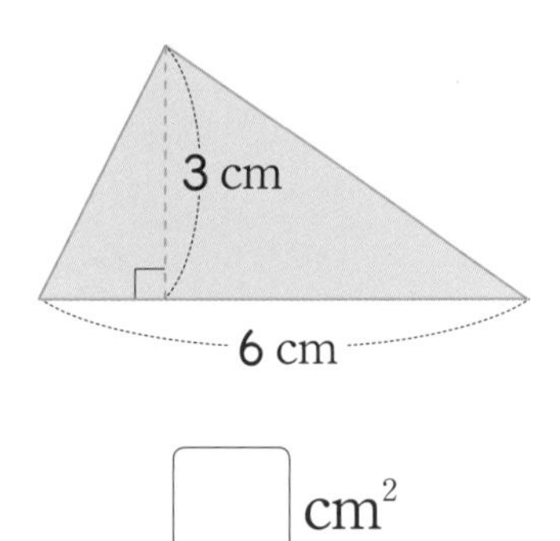

□ cm^2

2

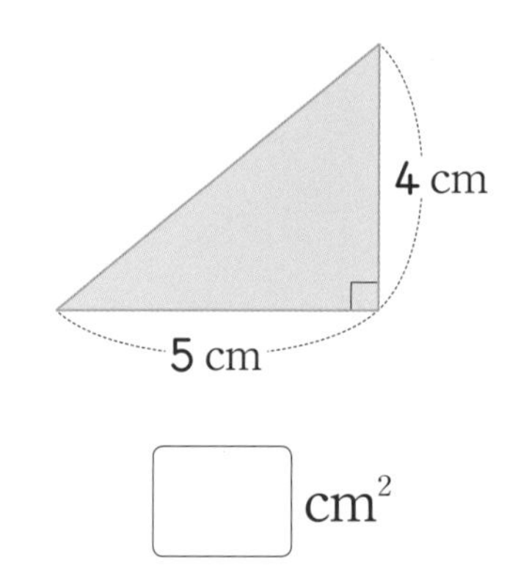

□ cm^2

3

8 cm

4 cm

☐ cm^2

4

7 cm

6 cm

☐ cm^2

5

4 cm

13 cm

☐ cm^2

6

12 cm

6 cm

☐ cm^2

7

7 cm

5 cm

10 cm

☐ cm^2

8

8 cm

8 cm

9 cm

☐ cm^2

5일 길이 구하기

평행사변형과 삼각형입니다. □ 안에 알맞은 수를 써넣으시오.

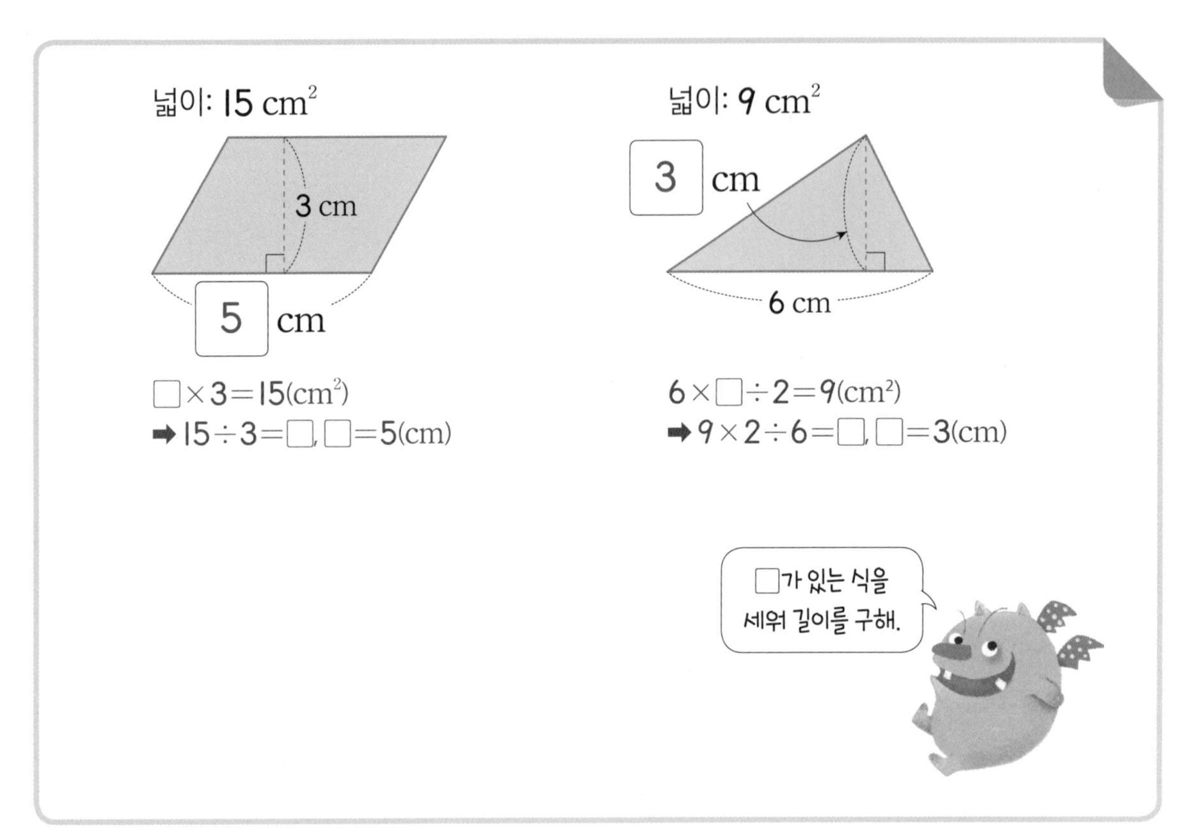

1 넓이: 28 cm^2

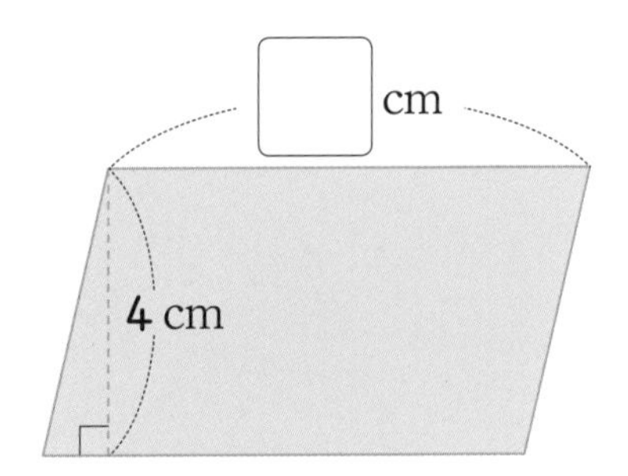

2 넓이: 60 cm^2

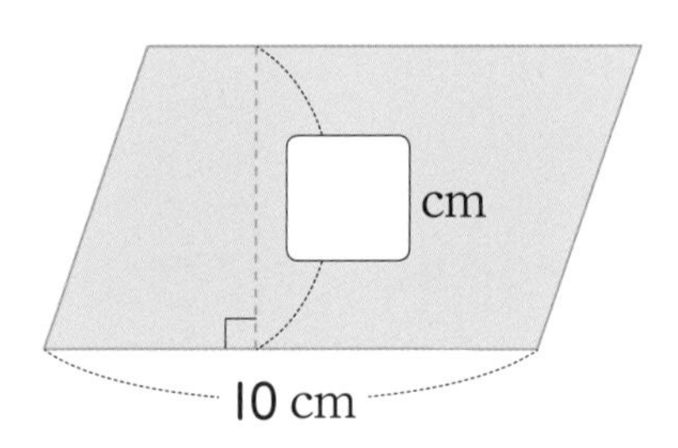

3 넓이: 18 cm^2

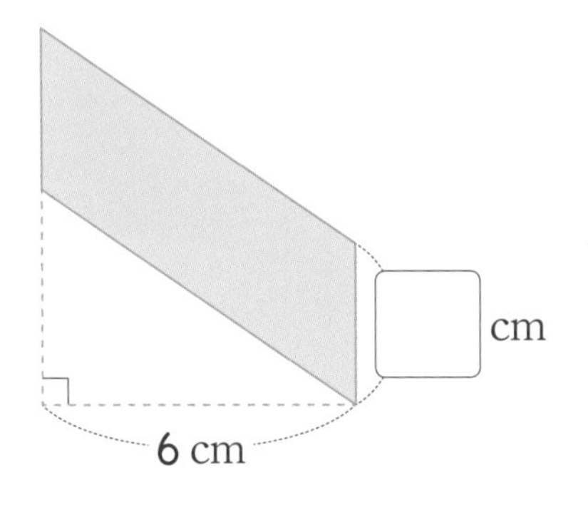

4 넓이: 104 cm^2

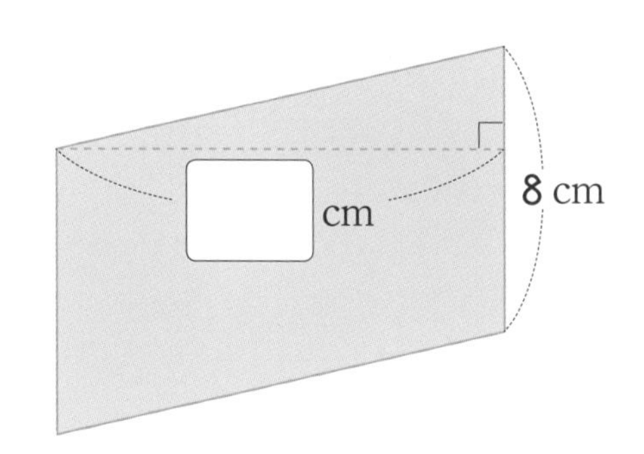

5 넓이: 21 cm^2

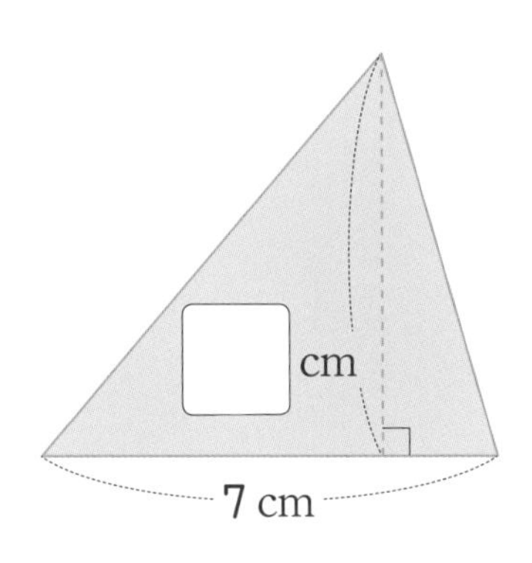

6 넓이: 18 cm^2

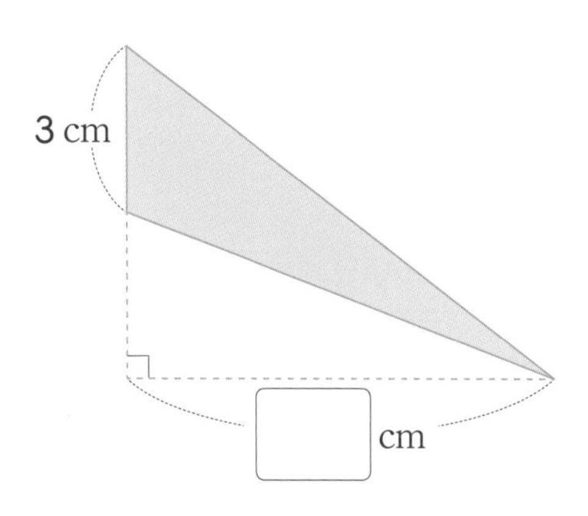

7 넓이: 45 cm^2

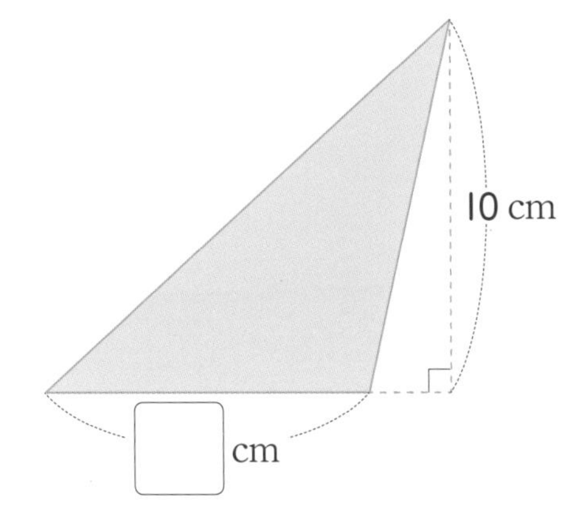

8 넓이: 33 cm^2

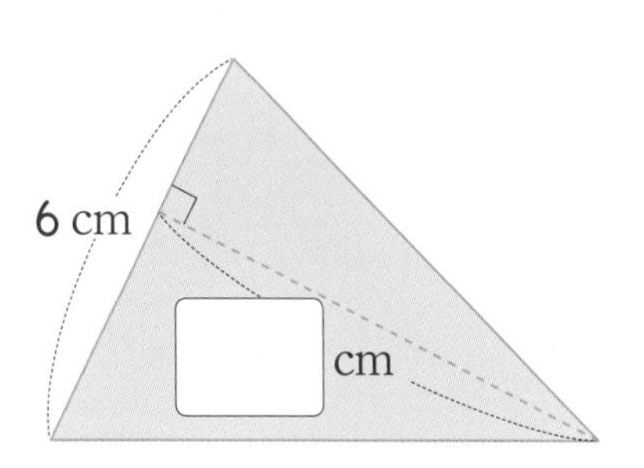

단위넓이를 이용하여 평행사변형의 넓이를 구해 □ 안에 써넣으시오.

1

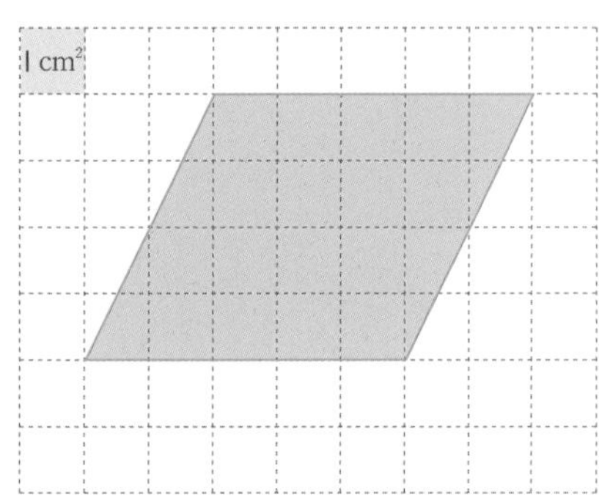

□ cm^2

2

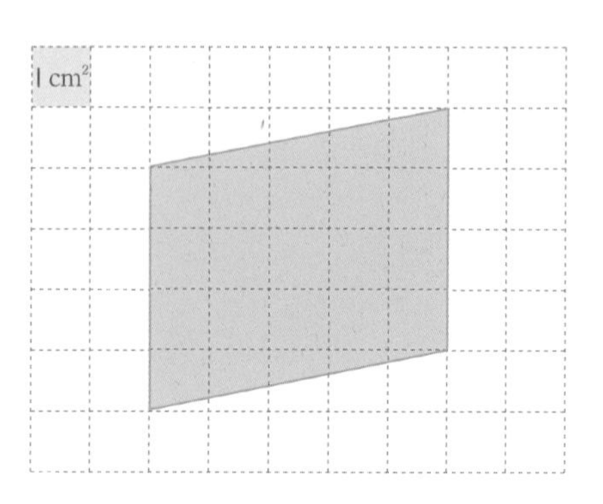

□ cm^2

평행사변형의 넓이를 구해 □ 안에 써넣으시오.

3

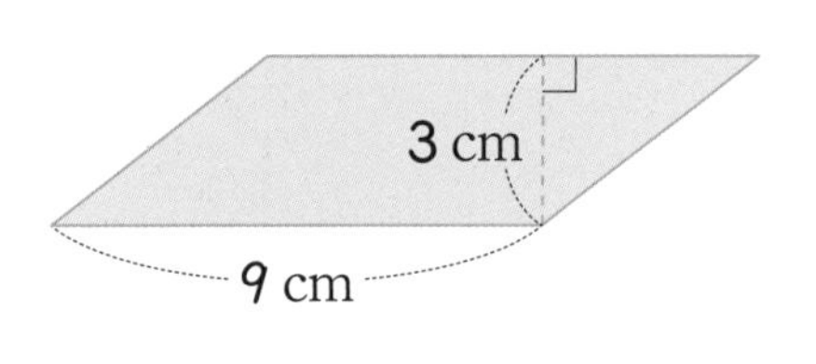

□ cm^2

4

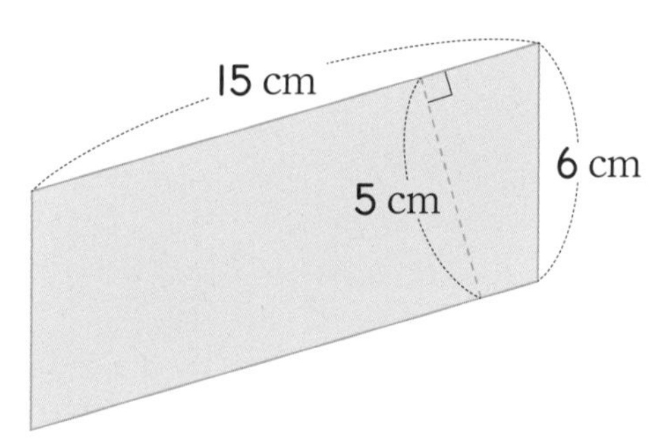

□ cm^2

삼각형의 넓이를 구해 □ 안에 써넣으시오.

5

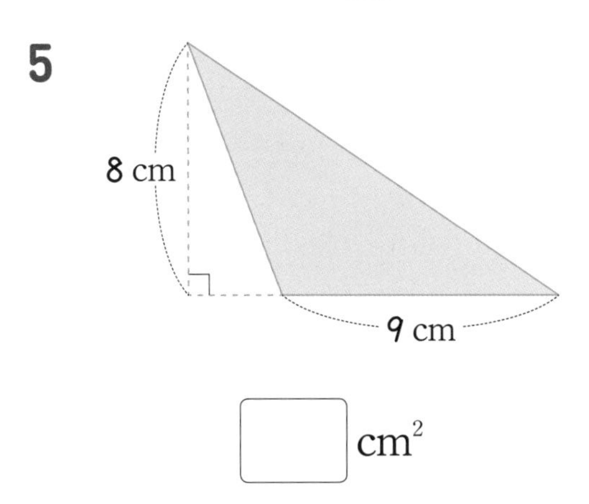

□ cm^2

6

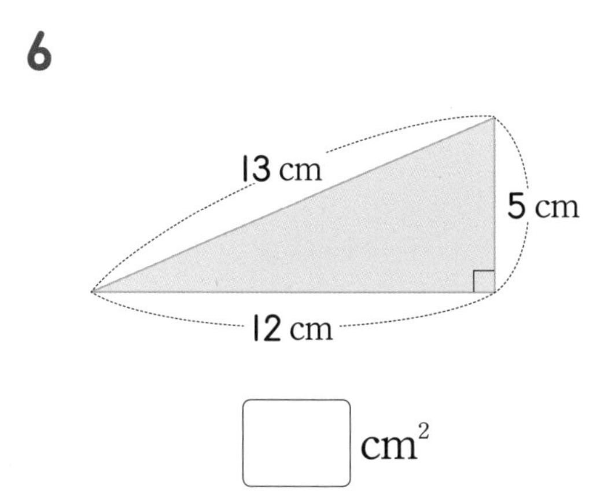

□ cm^2

평행사변형과 삼각형입니다. □ 안에 알맞은 수를 써넣으시오.

7 넓이: 49 cm^2

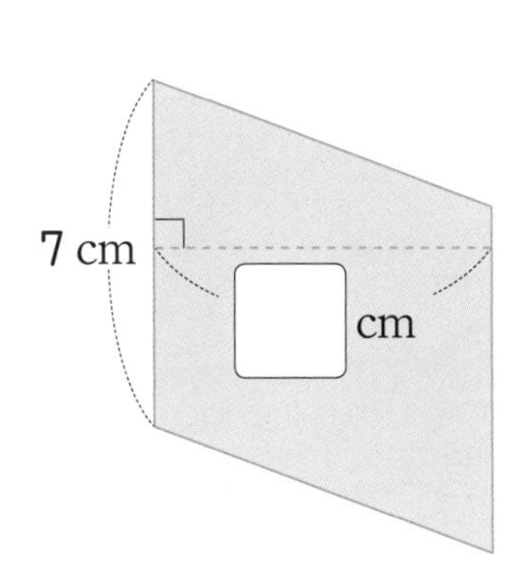

8 넓이: 30 cm^2

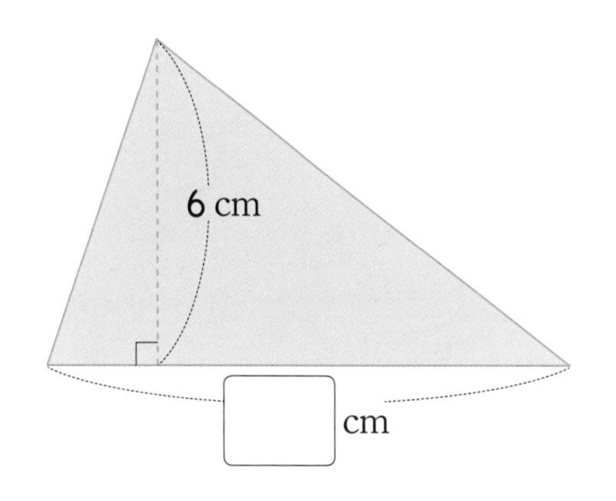

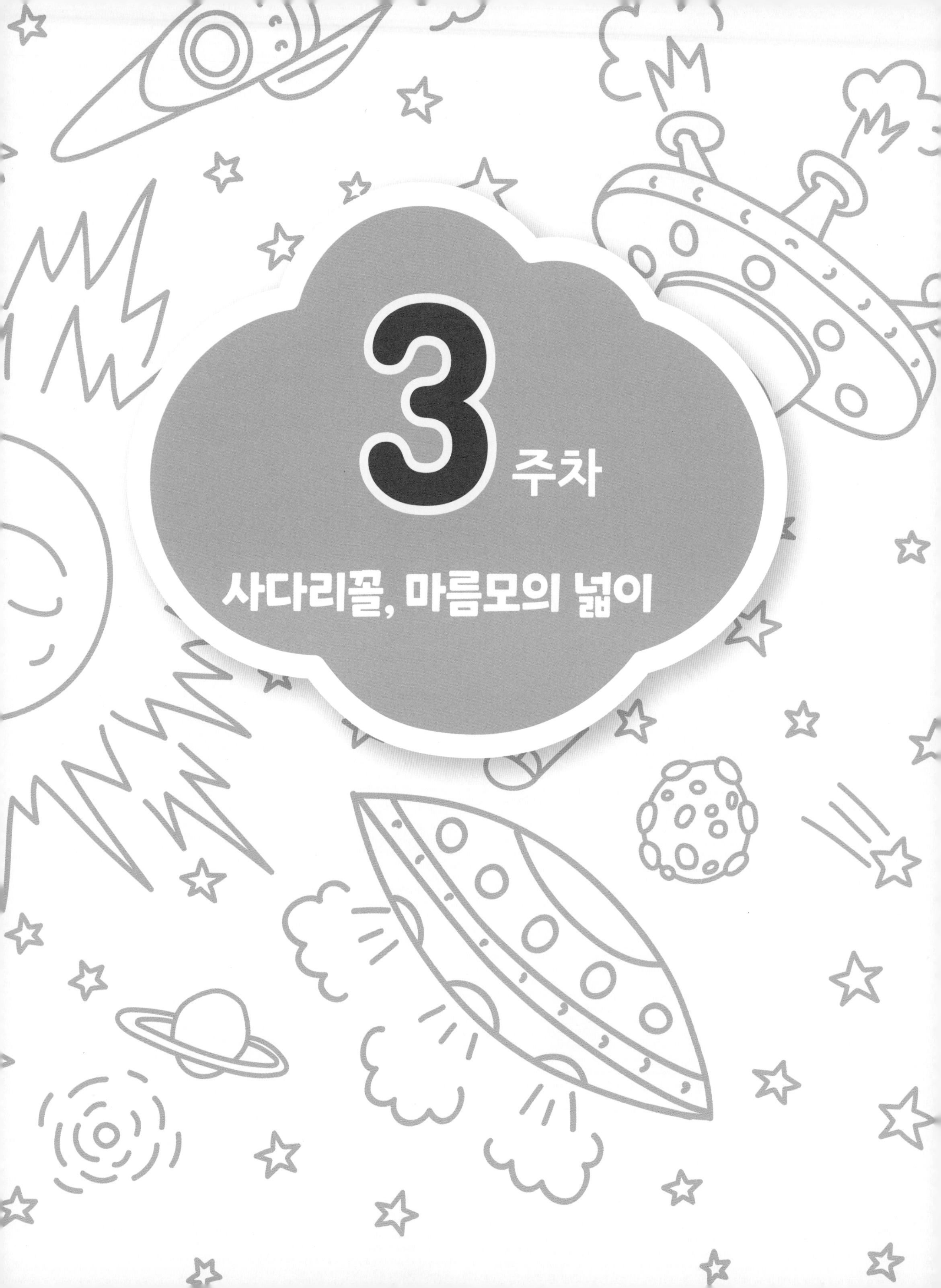

3 주차

사다리꼴, 마름모의 넓이

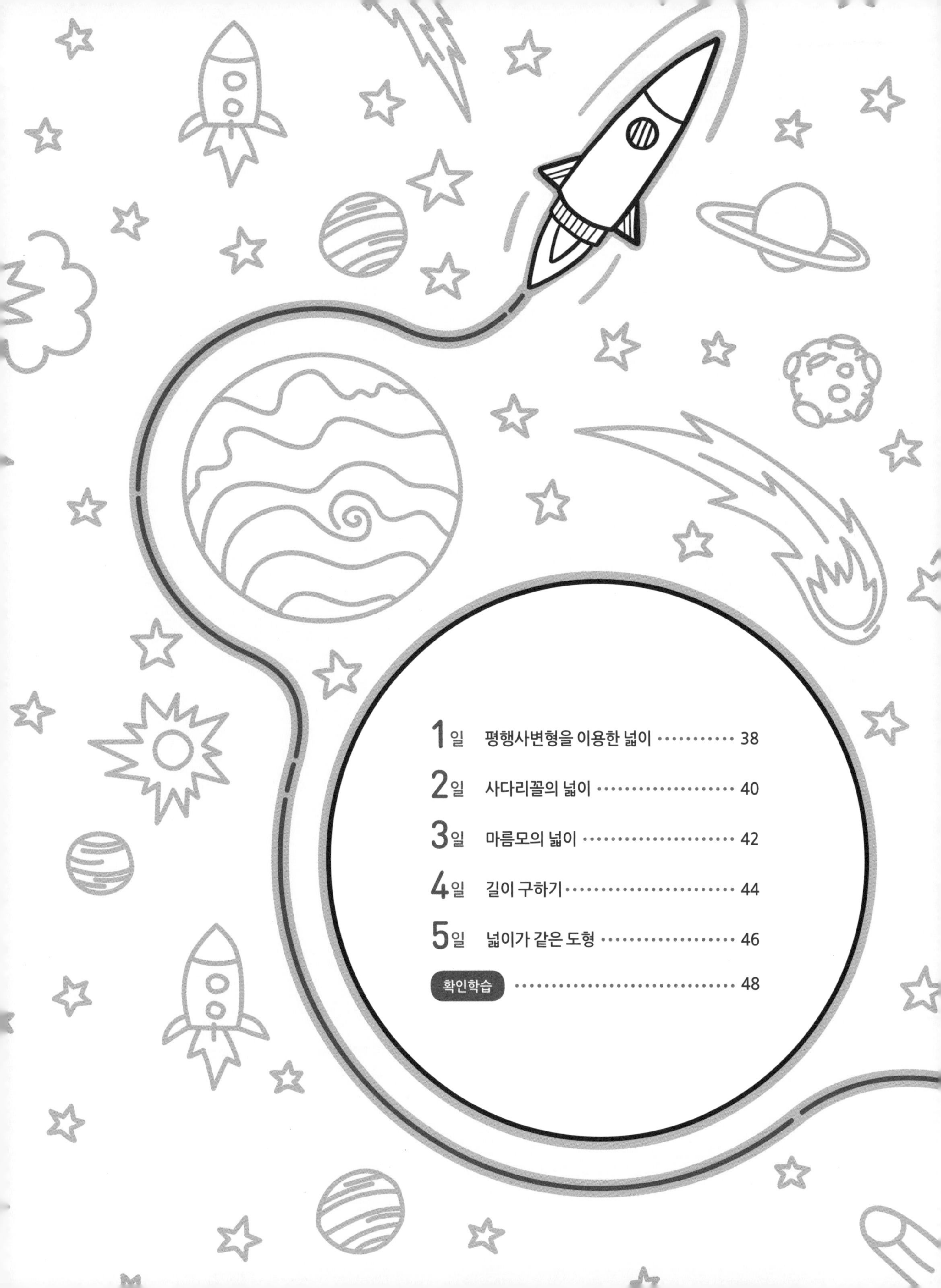

1일 평행사변형을 이용한 넓이 ··········· 38

2일 사다리꼴의 넓이 ··················· 40

3일 마름모의 넓이 ····················· 42

4일 길이 구하기 ······················· 44

5일 넓이가 같은 도형 ················· 46

확인학습 ···························· 48

1일 평행사변형을 이용한 넓이

점선을 한 변으로 하는 합동인 사다리꼴을 그려 평행사변형을 만들고, 평행사변형과 사다리꼴의 넓이를 각각 구해 □ 안에 써넣으시오.

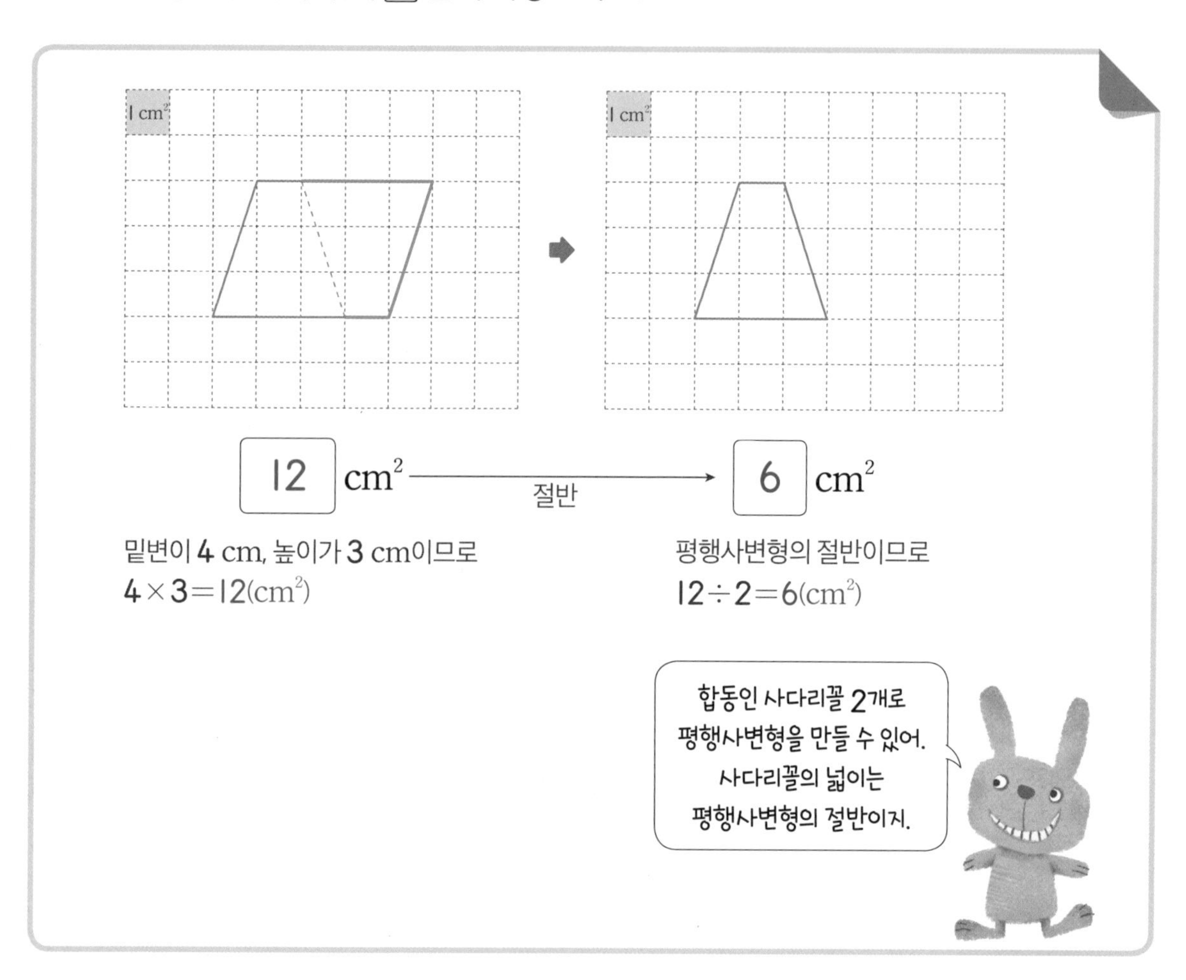

1 cm²
1 cm²
12 cm²
절반
6 cm²
밑변이 4 cm, 높이가 3 cm이므로
4×3=12(cm²)
평행사변형의 절반이므로
12÷2=6(cm²)

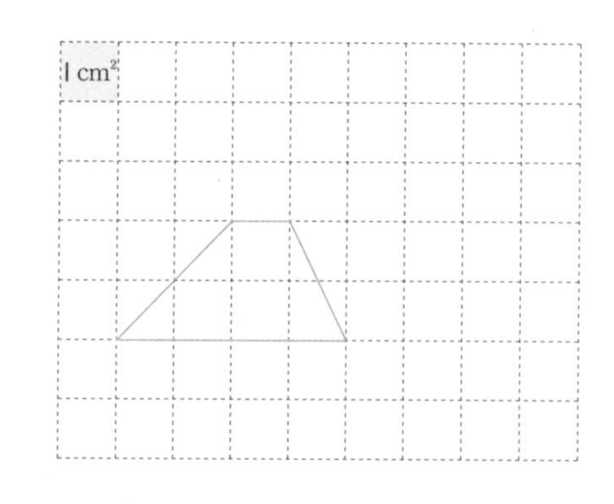

합동인 사다리꼴 2개로
평행사변형을 만들 수 있어.
사다리꼴의 넓이는
평행사변형의 절반이지.

1

□ cm^2 □ cm^2

2

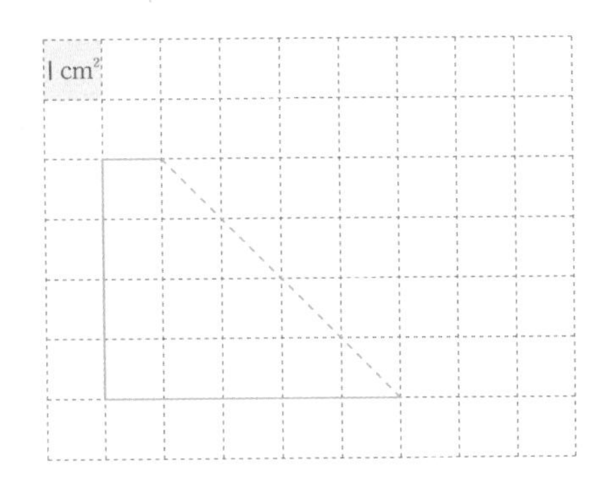

➡

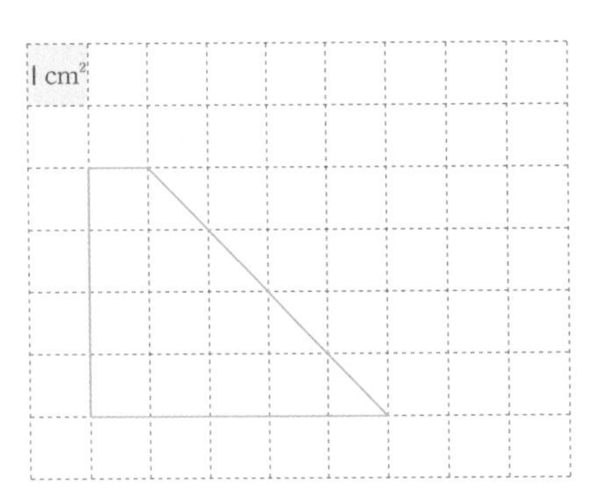

☐ cm^2 ☐ cm^2

3

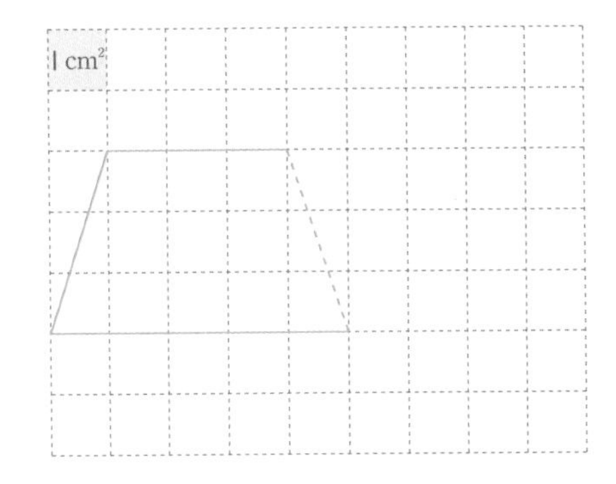

➡

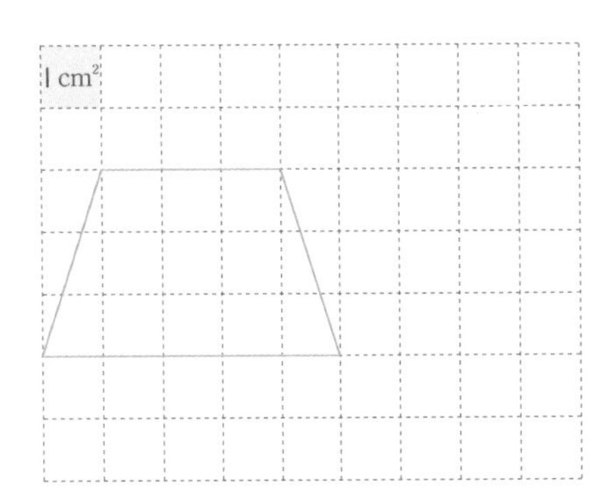

☐ cm^2 ☐ cm^2

4

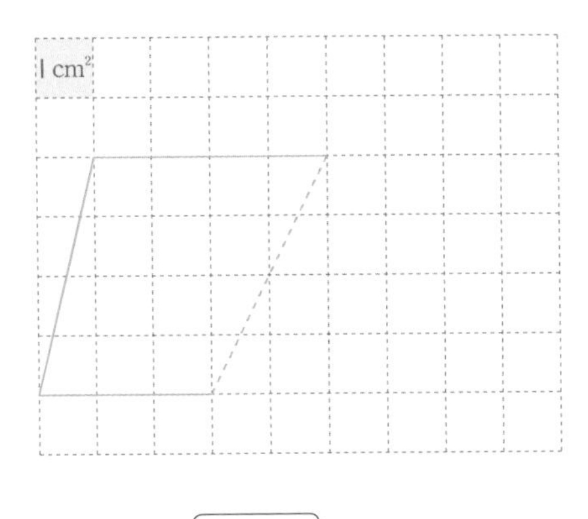

➡

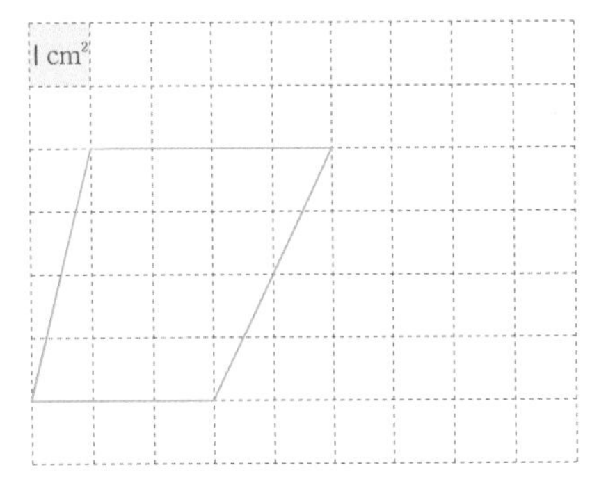

☐ cm^2 ☐ cm^2

사다리꼴의 넓이

사다리꼴의 넓이를 구해 □ 안에 써넣으시오.

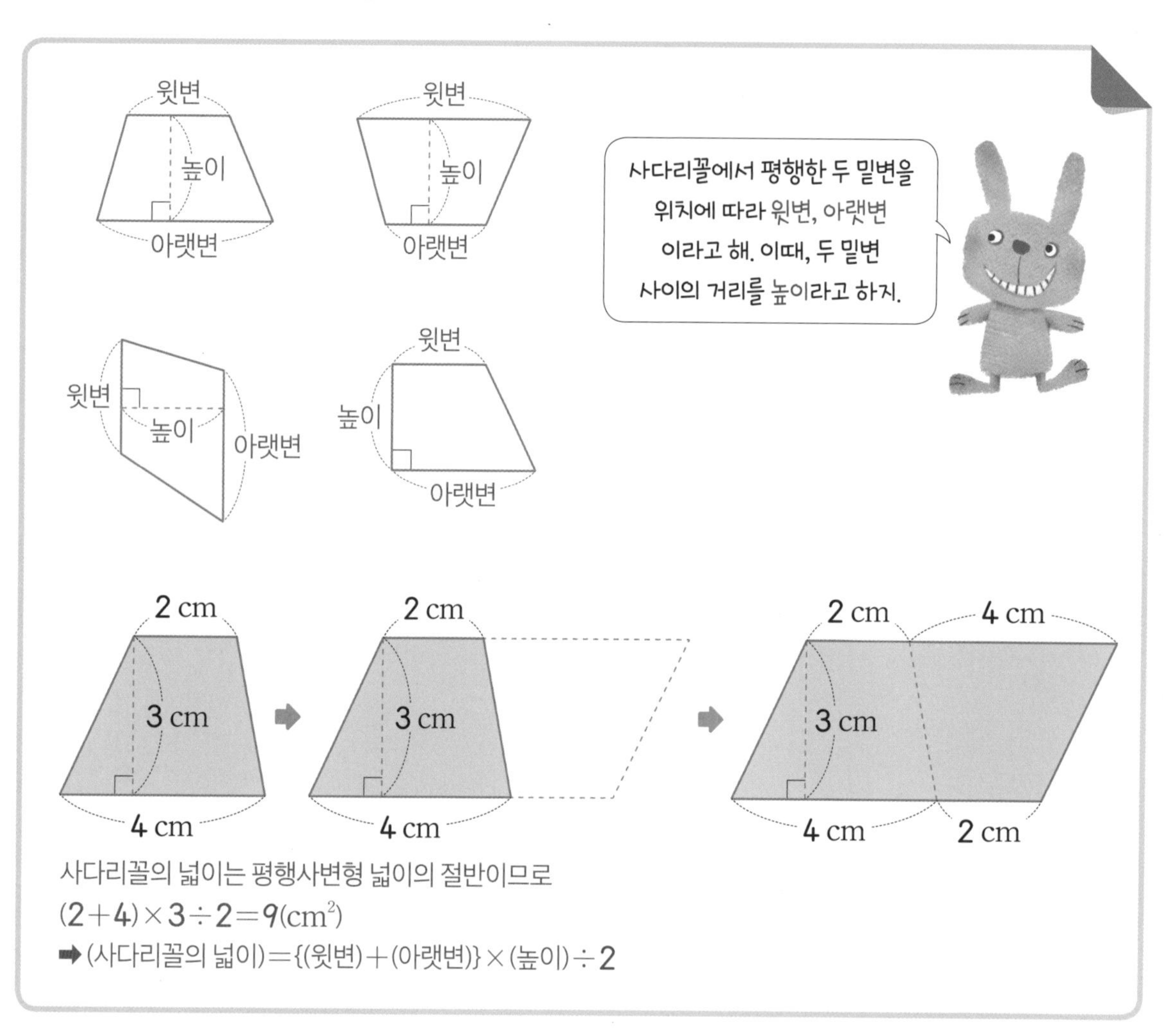

사다리꼴의 넓이는 평행사변형 넓이의 절반이므로

$(2+4)\times3\div2=9(\mathrm{cm}^2)$

➡ (사다리꼴의 넓이)$=${(윗변)$+$(아랫변)}$\times$(높이)$\div2$

1

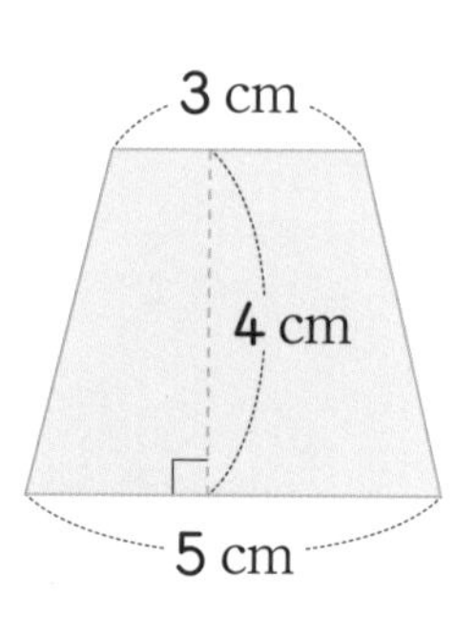

□ cm^2

2

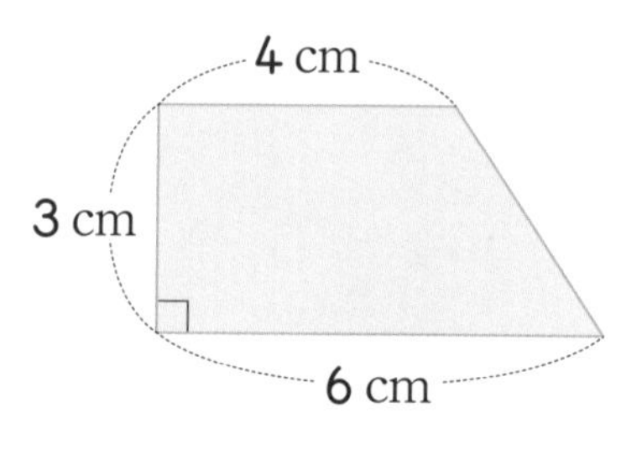

□ cm^2

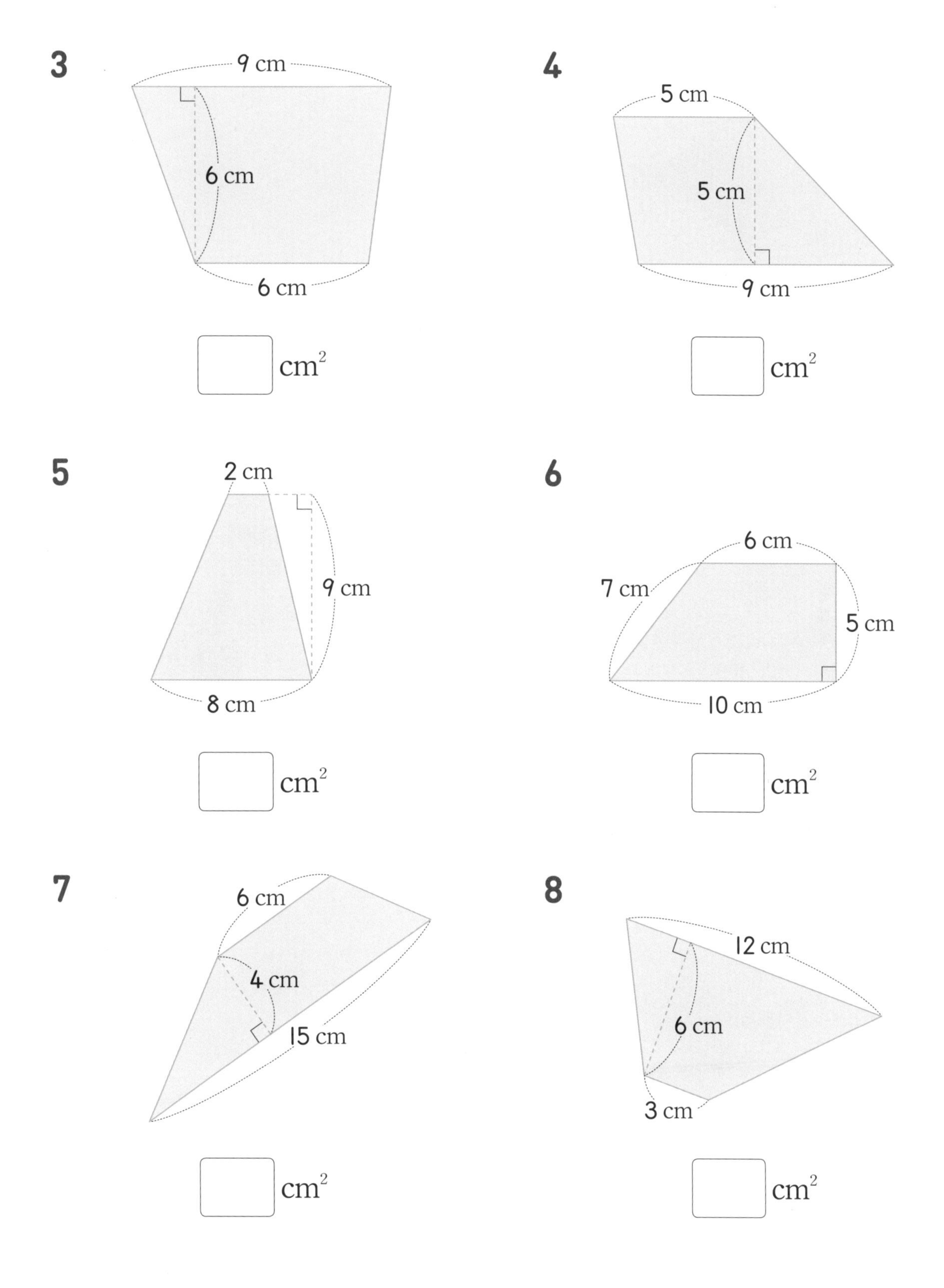
3
9 cm
6 cm
6 cm
cm²
4
5 cm
5 cm
9 cm
cm²
5
2 cm
9 cm
8 cm
cm²
6
6 cm
7 cm
5 cm
10 cm
cm²
7
6 cm
4 cm
15 cm
cm²
8
12 cm
6 cm
3 cm
cm²

3일 마름모의 넓이

 마름모의 넓이를 구해 □ 안에 써넣으시오.

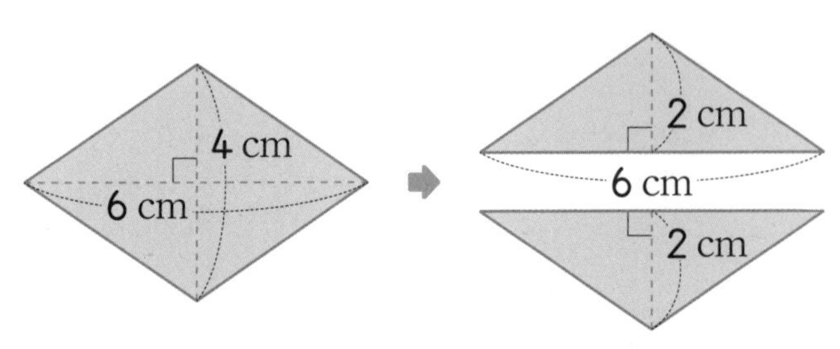

마름모의 넓이는 똑같은 삼각형 2개의 넓이이므로

(삼각형의 넓이)$=6\times2\div2=6(\mathrm{cm}^2)$

(마름모의 넓이)$=6\times2=12(\mathrm{cm}^2)$

➡ (마름모의 넓이)$=$(한 대각선)$\times$(다른 대각선)$\div2$

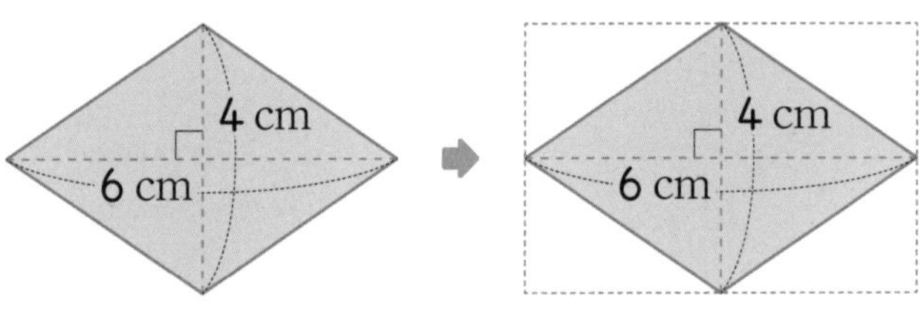

마름모의 넓이는 직사각형 넓이의 절반이므로

(직사각형의 넓이)$=6\times4=24(\mathrm{cm}^2)$

(마름모의 넓이)$=24\div2=12(\mathrm{cm}^2)$

➡ (마름모의 넓이)$=$(한 대각선)$\times$(다른 대각선)$\div2$

삼각형 또는 직사각형을 이용해서 마름모의 넓이를 구할 수 있어.

1

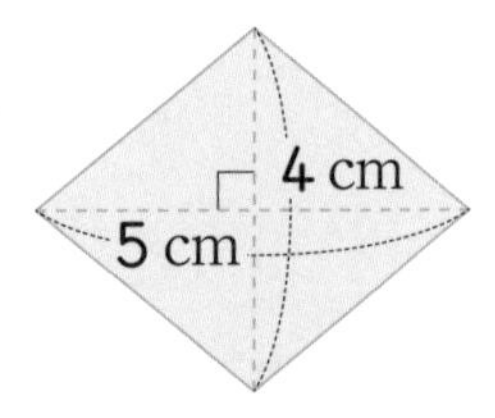

□ cm^2

2

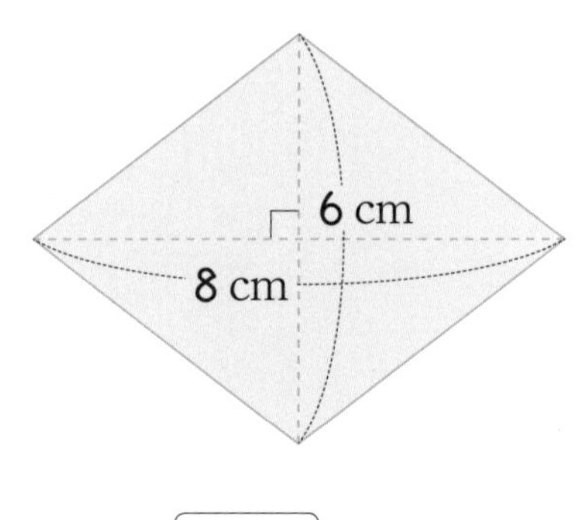

□ cm^2

3

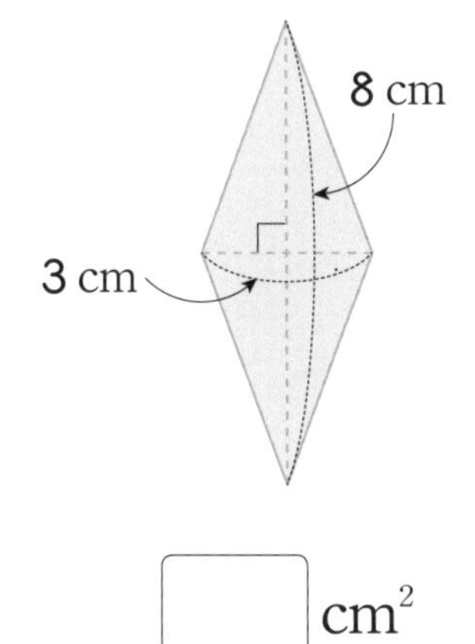

☐ cm^2

4

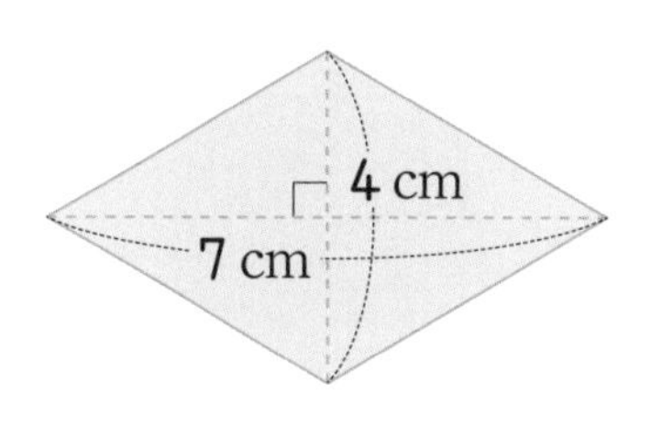

☐ cm^2

5

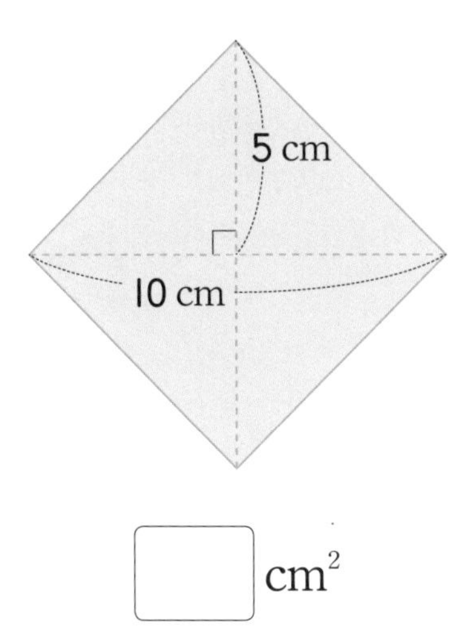

☐ cm^2

6

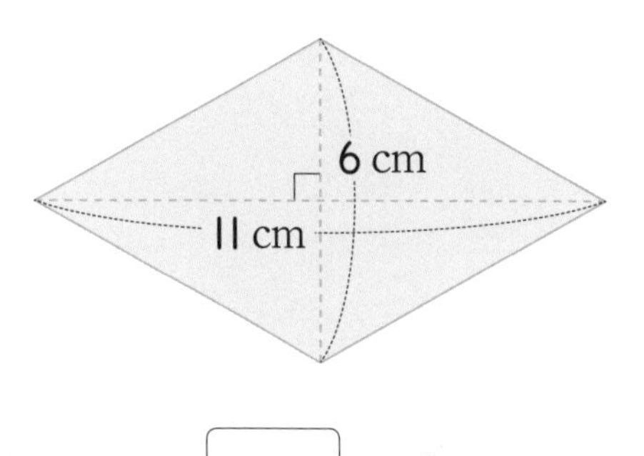

☐ cm^2

7

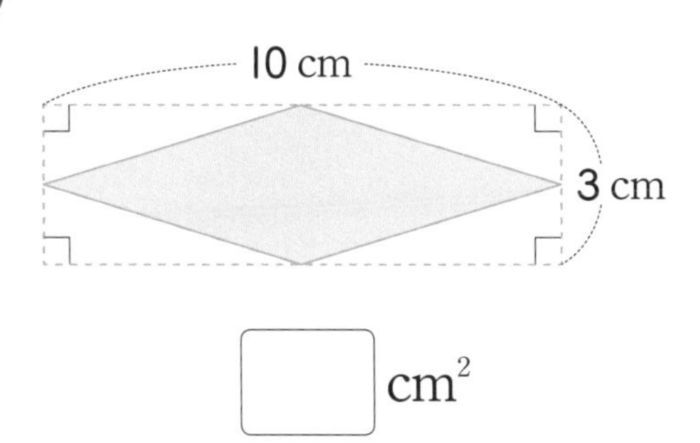

☐ cm^2

8

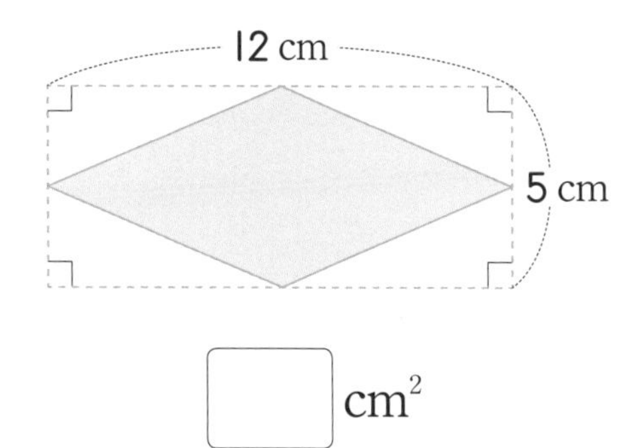

☐ cm^2

4일 길이 구하기

사다리꼴과 마름모입니다. □ 안에 알맞은 수를 써넣으시오.

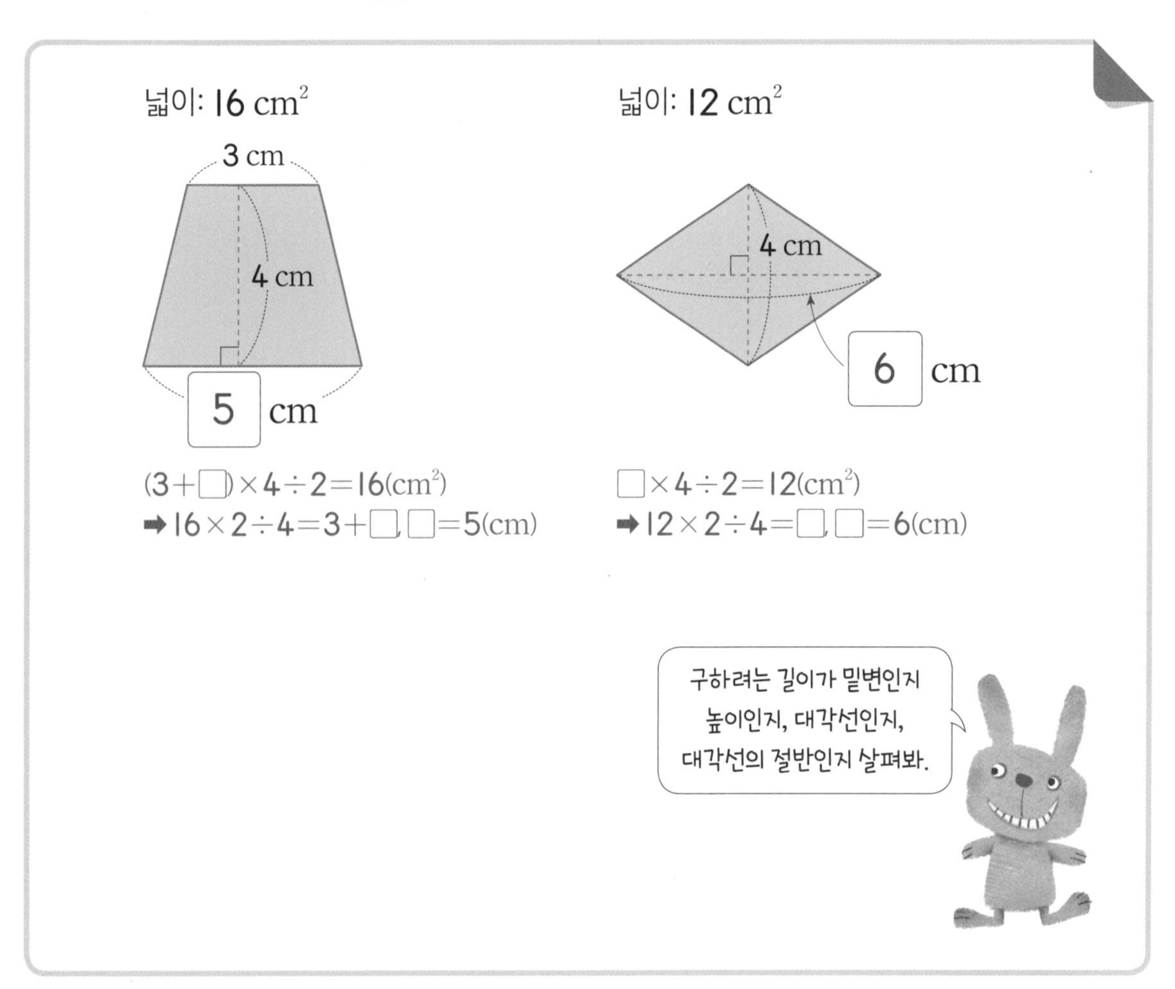

1 넓이: 24 cm^2

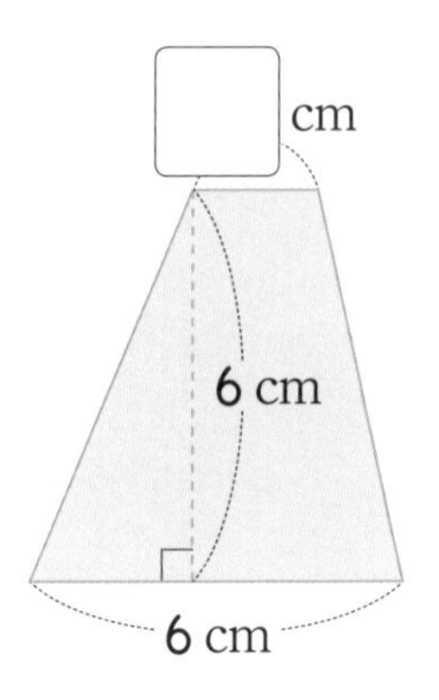

2 넓이: 35 cm^2

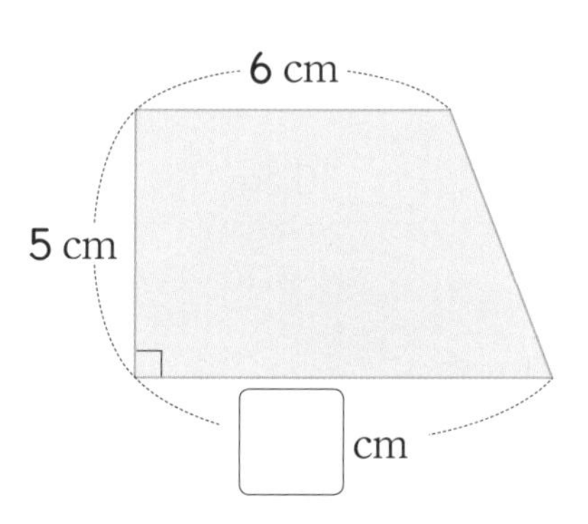

3 넓이: $30\ cm^2$

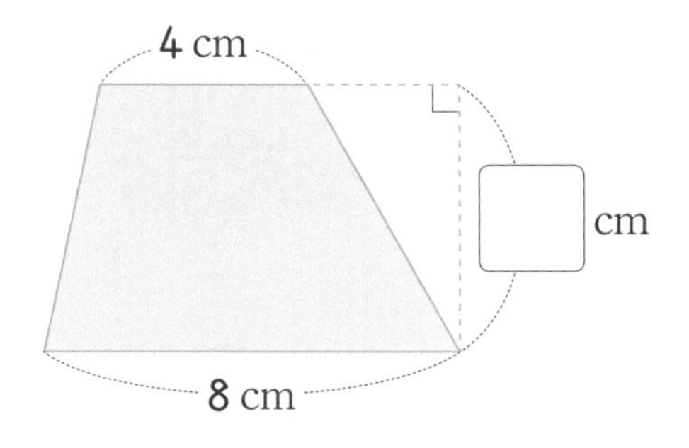

4 넓이: $45\ cm^2$

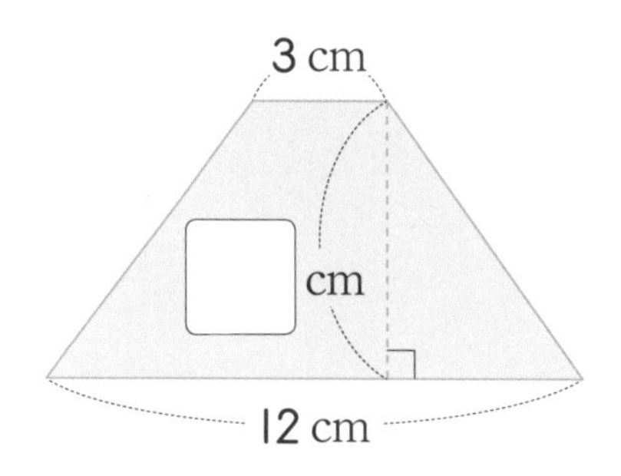

5 넓이: $21\ cm^2$

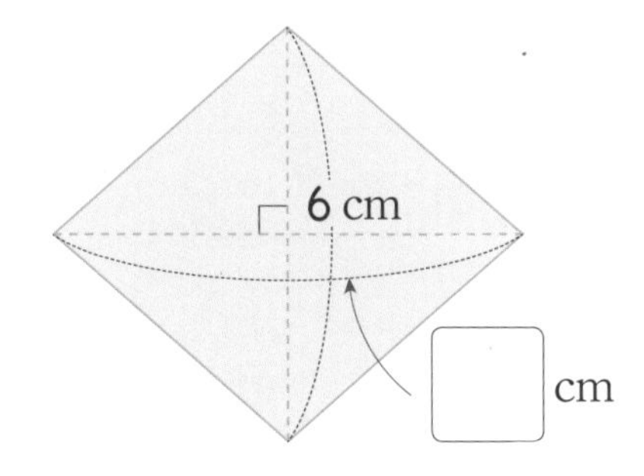

6 넓이: $18\ cm^2$

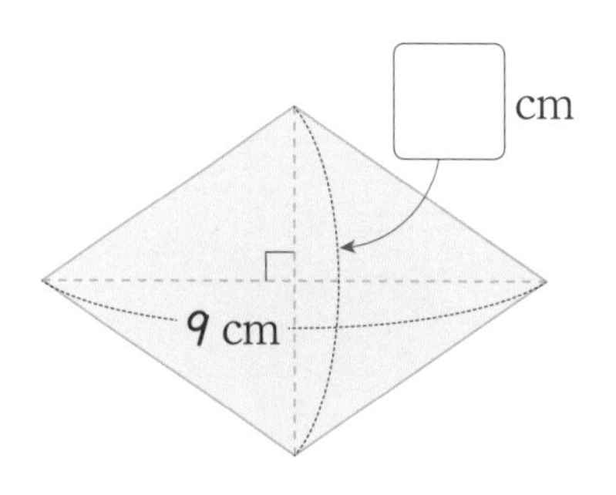

7 넓이: $25\ cm^2$

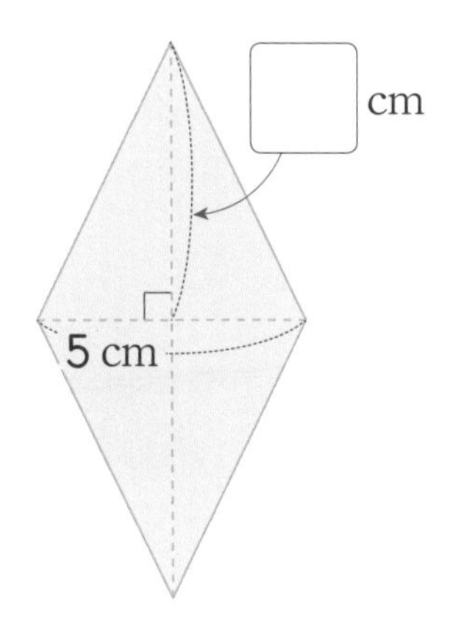

8 넓이: $44\ cm^2$

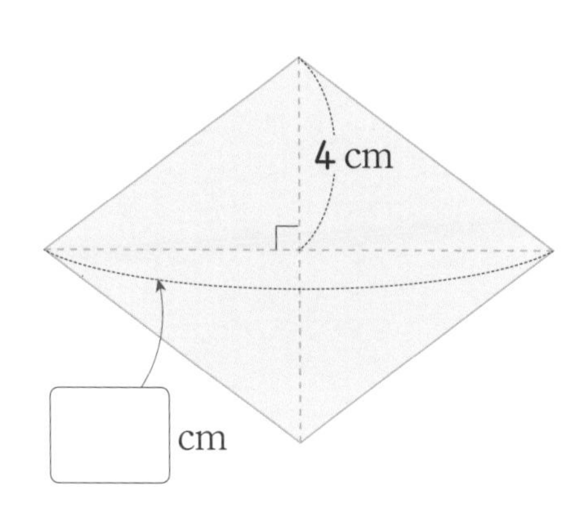

5일 넓이가 같은 도형

넓이가 같은 도형 2개를 찾아 각각 ○표 하시오.

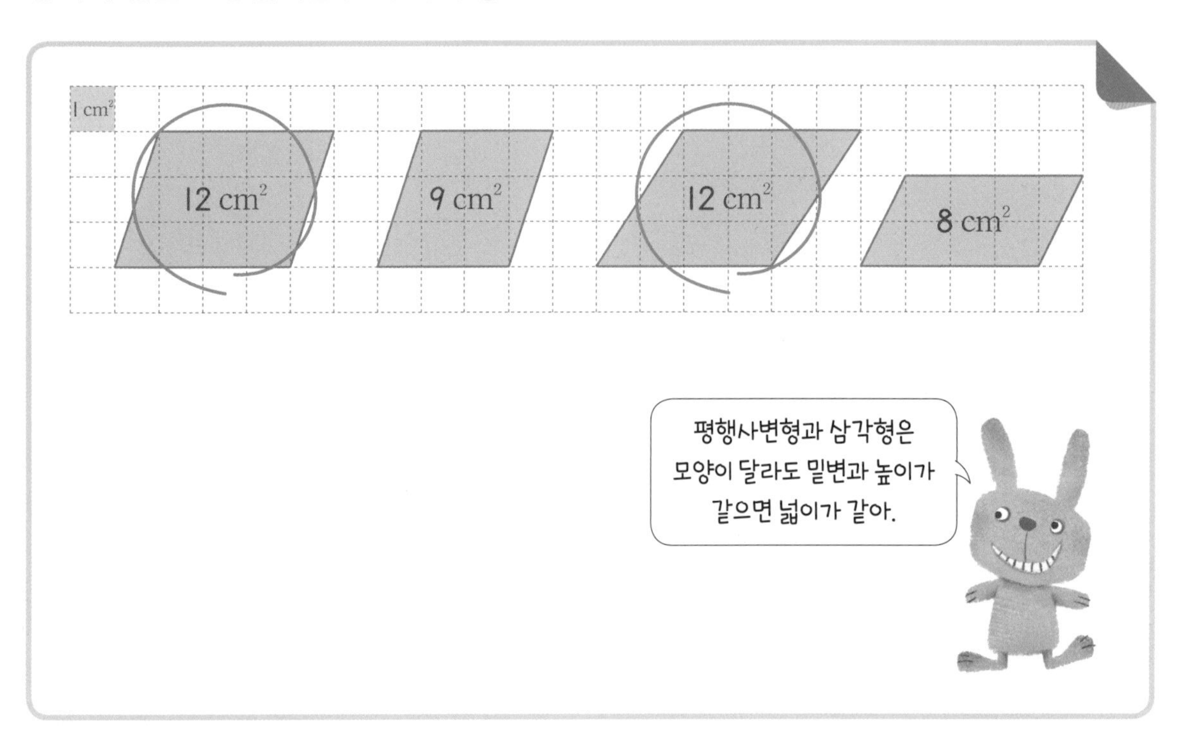
1 cm²
12 cm²
9 cm²
12 cm²
8 cm²
평행사변형과 삼각형은 모양이 달라도 밑변과 높이가 같으면 넓이가 같아.

1

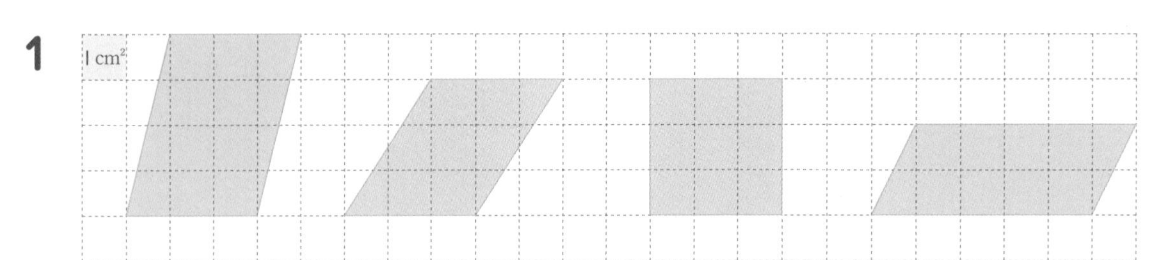
1 cm²

2

1 cm²

3

1 cm²

4

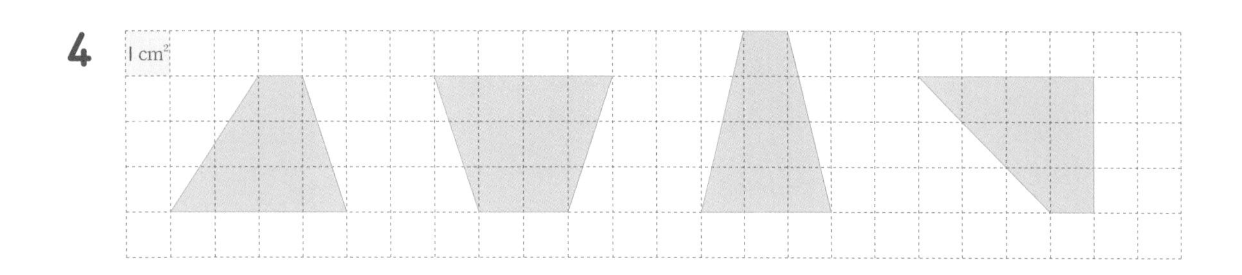

5

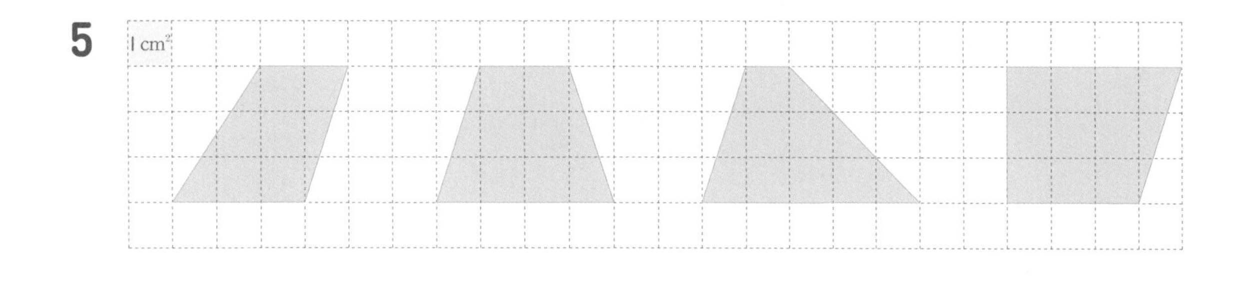

6

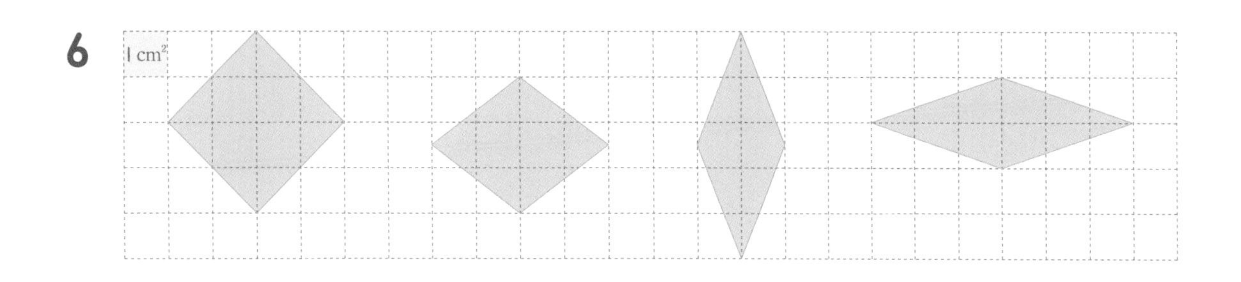

사다리꼴의 넓이를 구해 □ 안에 써넣으시오.

1

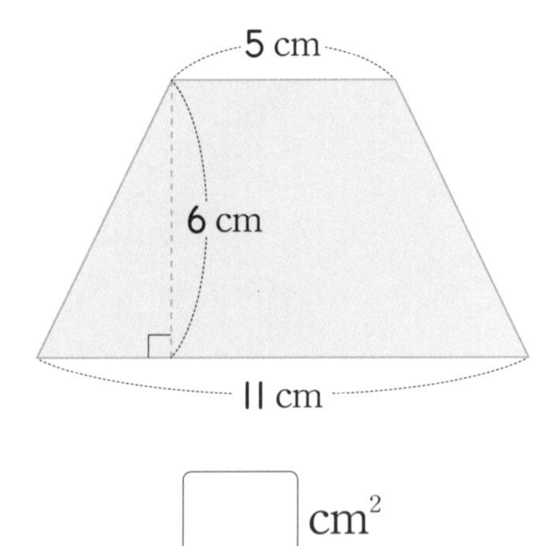

□ cm^2

2

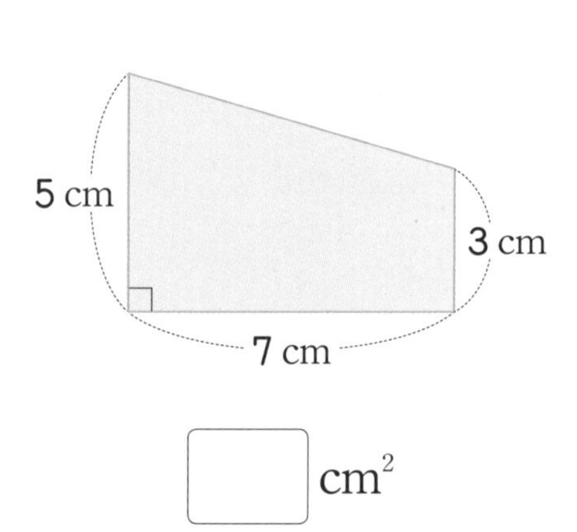

□ cm^2

마름모의 넓이를 구해 □ 안에 써넣으시오.

3

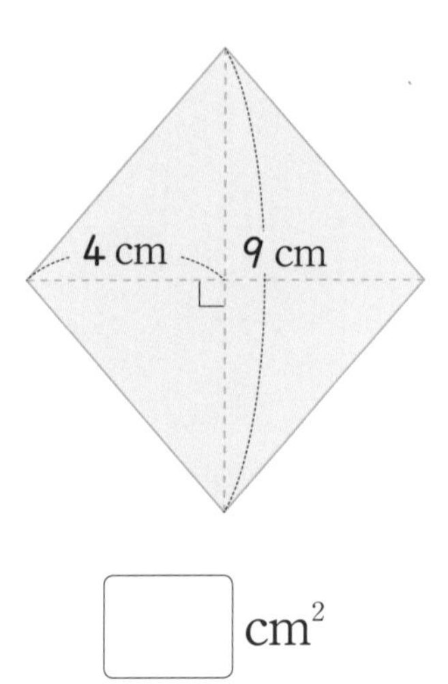

□ cm^2

4

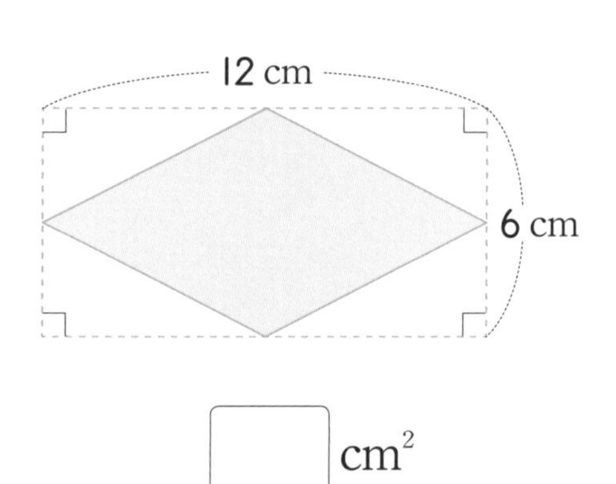

□ cm^2

사다리꼴과 마름모입니다. □ 안에 알맞은 수를 써넣으시오.

5 넓이: 45 cm^2

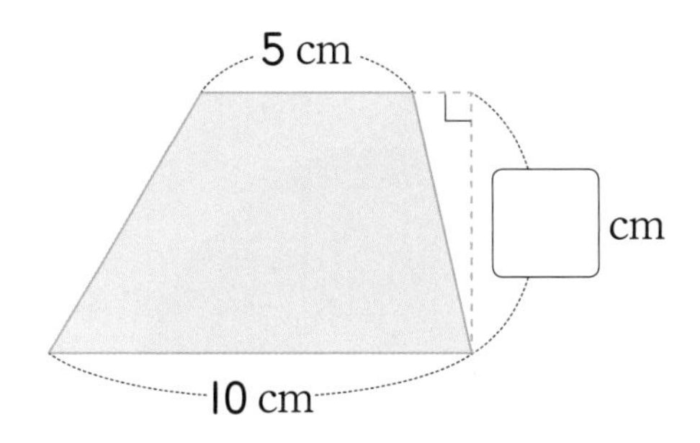

6 넓이: 44 cm^2

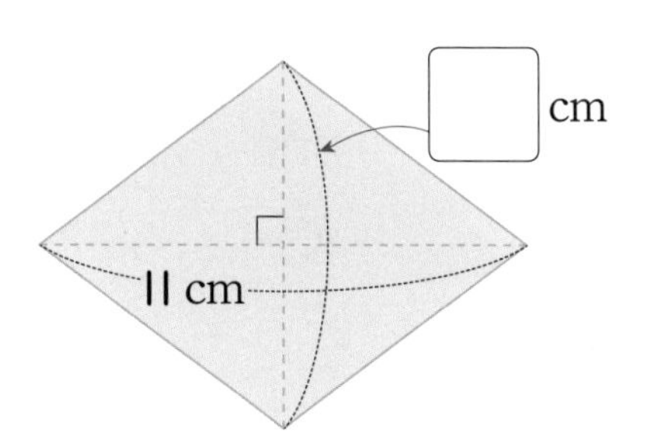

넓이가 같은 도형 2개를 찾아 각각 ○표 하시오.

7

8

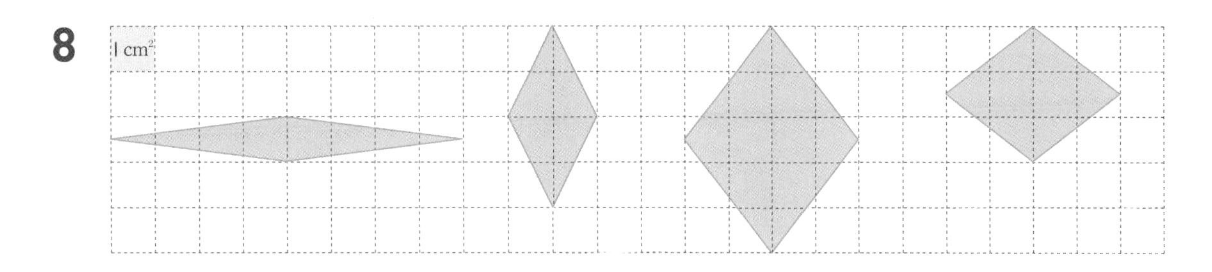

4주차

다각형의 넓이

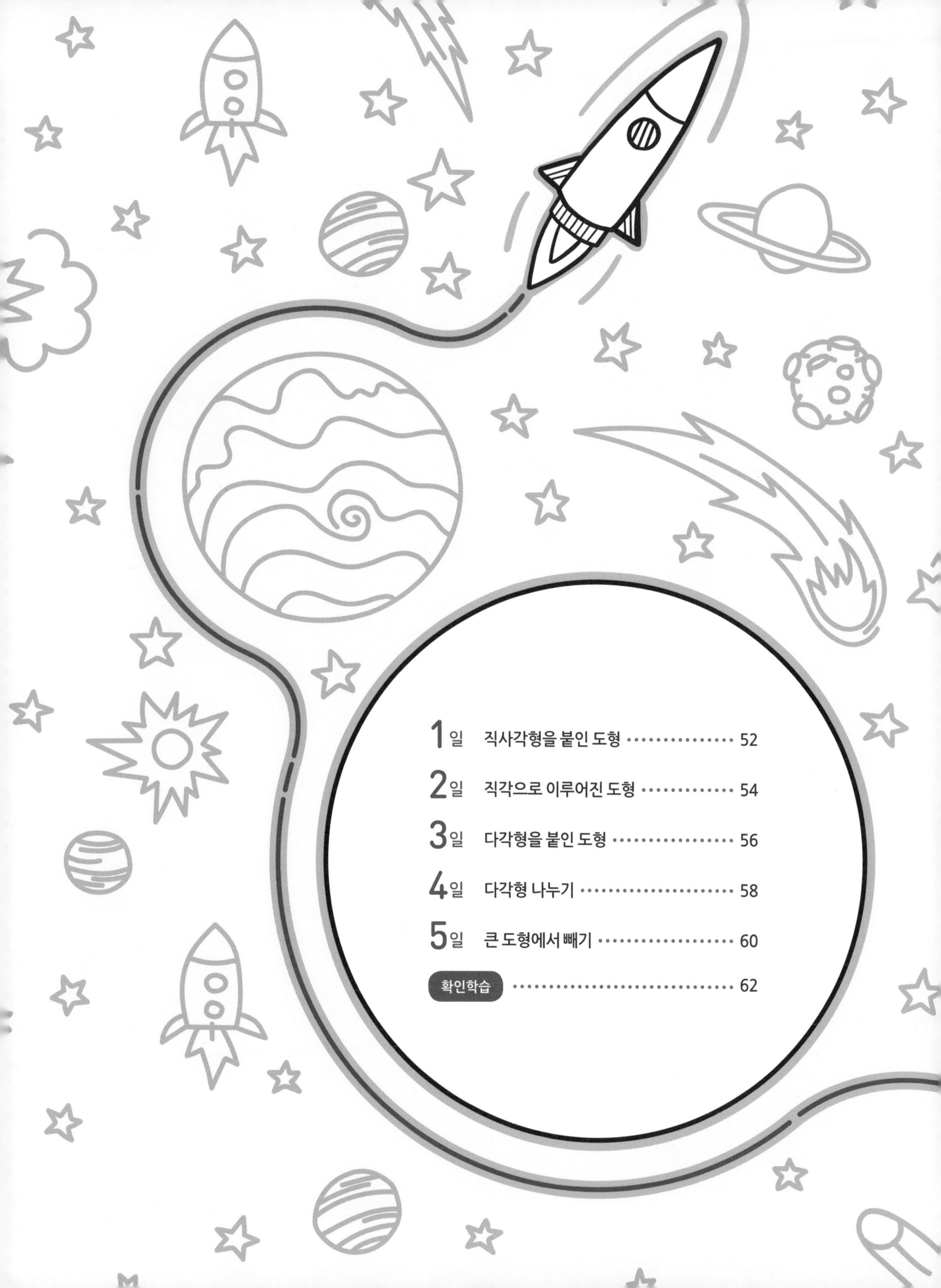

1일 직사각형을 붙인 도형 ··············· 52

2일 직각으로 이루어진 도형 ············ 54

3일 다각형을 붙인 도형 ················· 56

4일 다각형 나누기 ························· 58

5일 큰 도형에서 빼기 ····················· 60

확인학습 ···································· 62

1일 직사각형을 붙인 도형

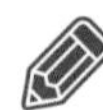 다각형의 넓이를 구해 □ 안에 써넣으시오.

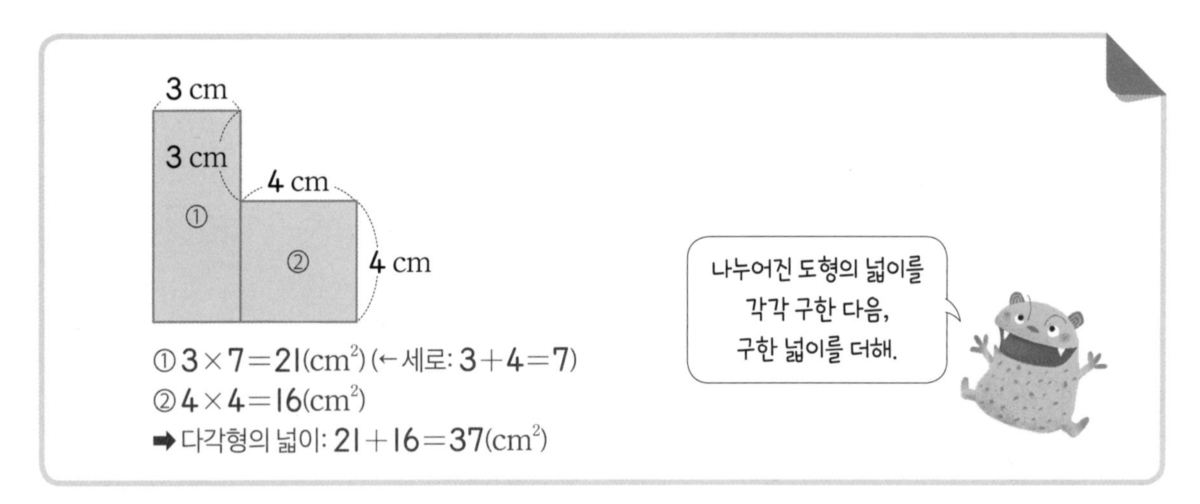

3 cm
3 cm
4 cm
①
②
4 cm
① 3×7=21(cm²) (← 세로: 3+4=7)
② 4×4=16(cm²)
➡ 다각형의 넓이: 21+16=37(cm²)
나누어진 도형의 넓이를
각각 구한 다음,
구한 넓이를 더해.

1

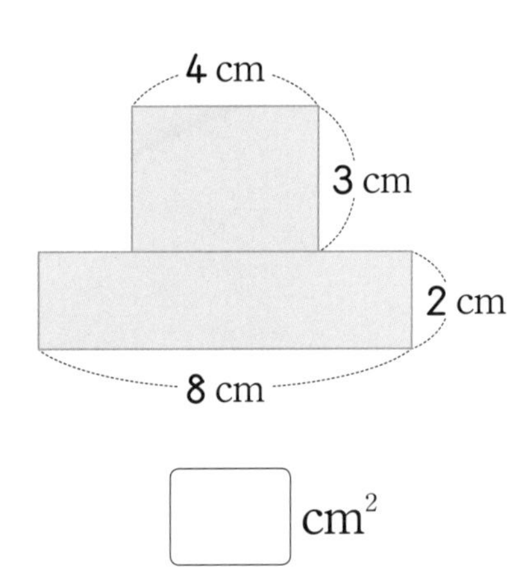

□ cm^2

2

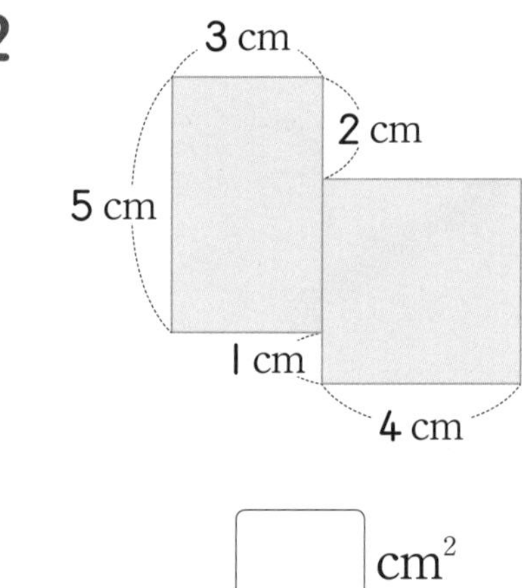

□ cm^2

3

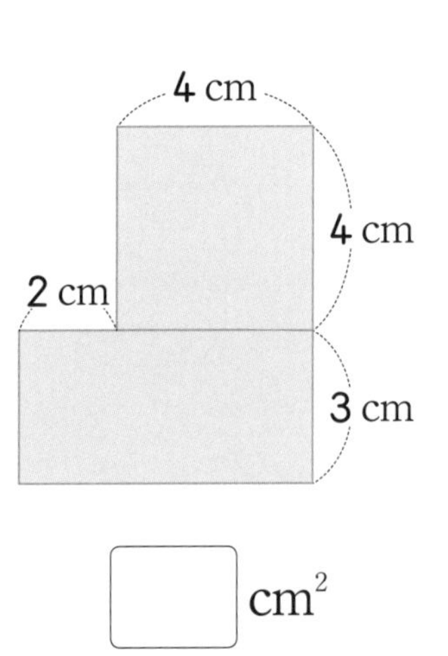

□ cm^2

4

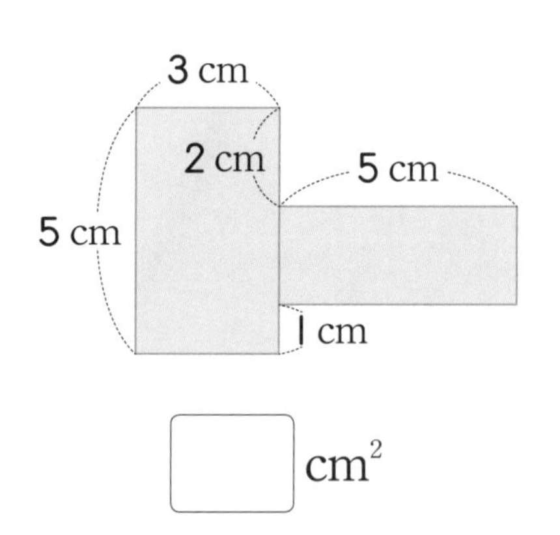

□ cm^2

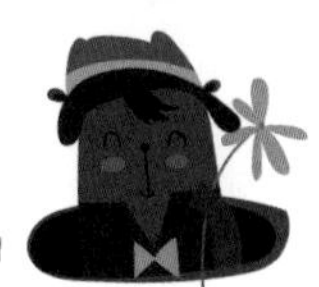

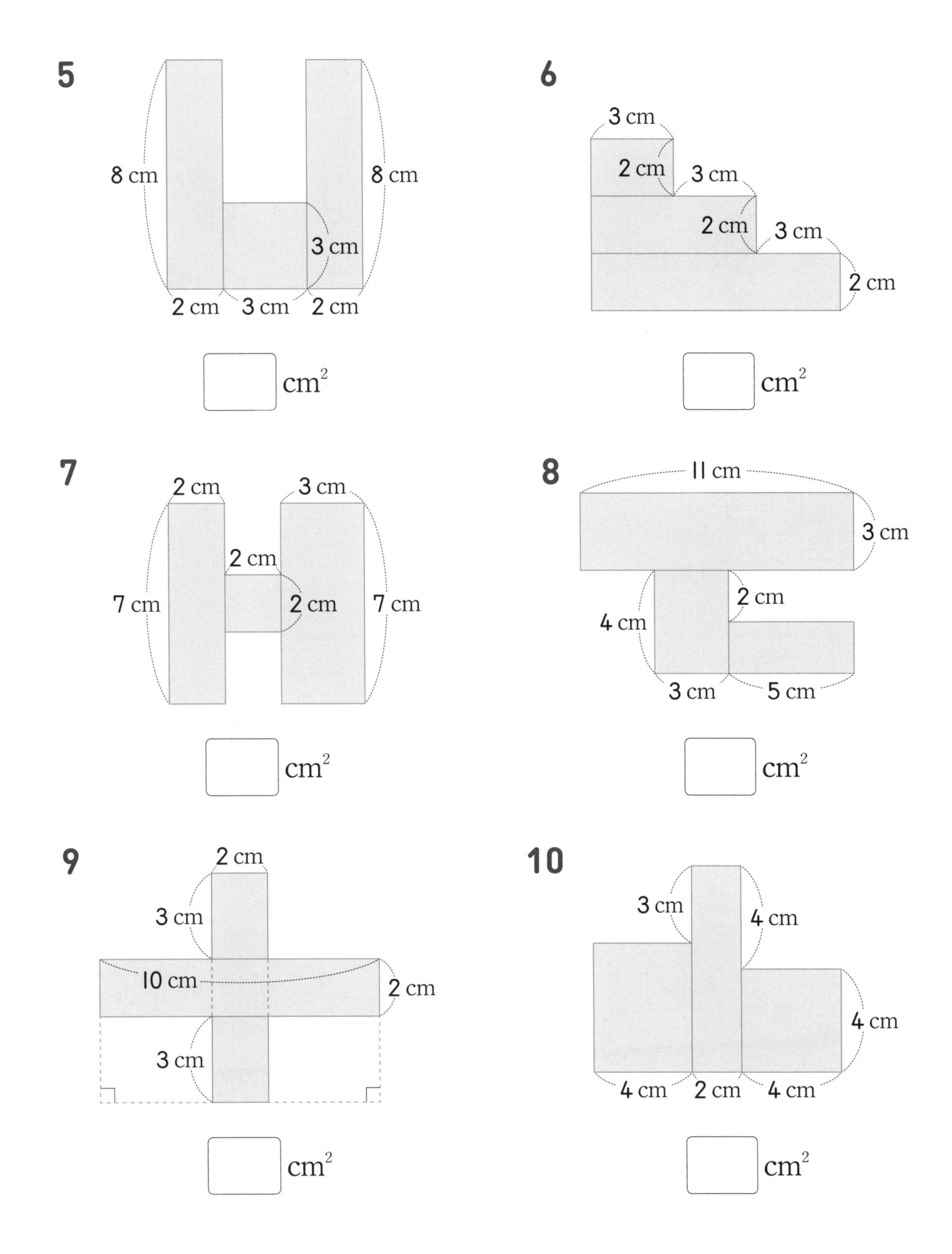
5
8 cm
8 cm
3 cm
2 cm
3 cm
2 cm
cm²
6
3 cm
2 cm
3 cm
2 cm
3 cm
2 cm
cm²
7
2 cm
3 cm
2 cm
7 cm
2 cm
7 cm
cm²
8
11 cm
3 cm
2 cm
4 cm
3 cm
5 cm
cm²
9
2 cm
3 cm
10 cm
2 cm
3 cm
cm²
10
3 cm
4 cm
4 cm
4 cm
2 cm
4 cm
cm²

2일 직각으로 이루어진 도형

다각형의 넓이를 구해 □ 안에 써넣으시오.

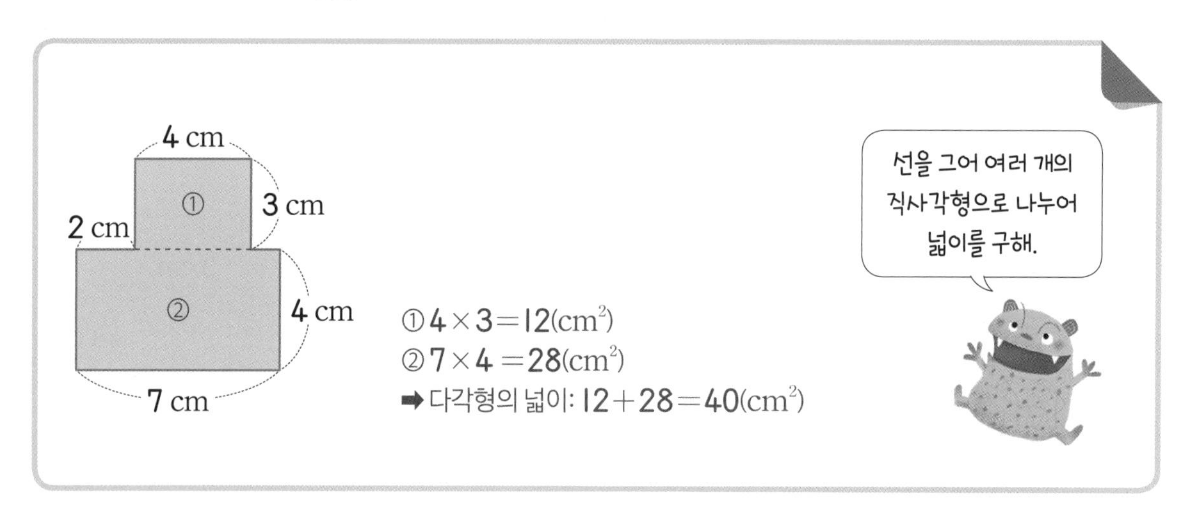

① $4 \times 3 = 12(cm^2)$
② $7 \times 4 = 28(cm^2)$
➡ 다각형의 넓이: $12 + 28 = 40(cm^2)$

1

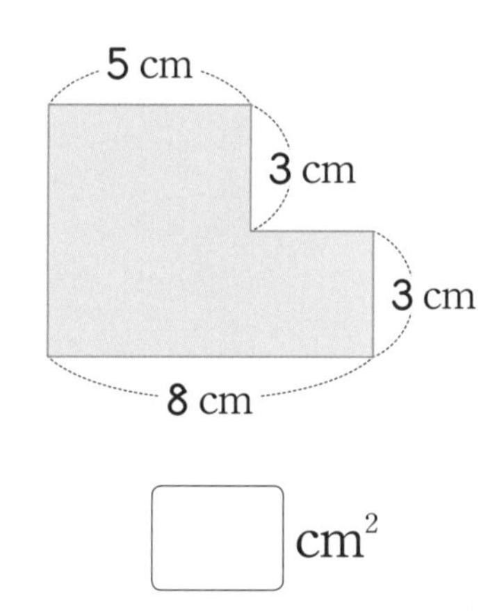

□ cm^2

2

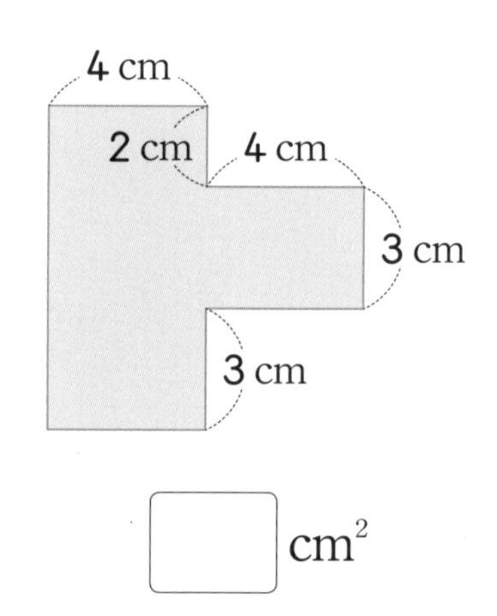

□ cm^2

3

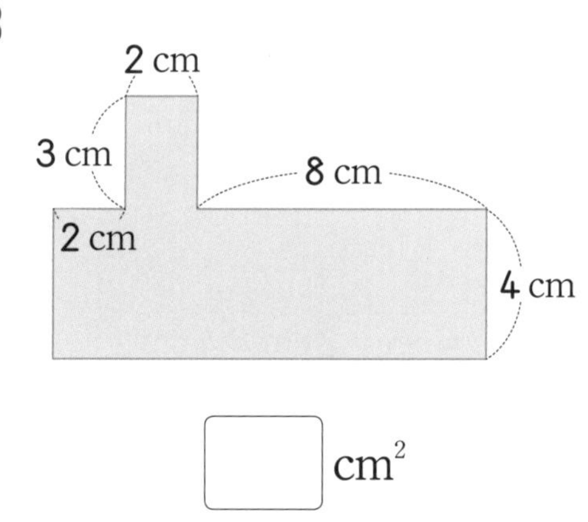

□ cm^2

4

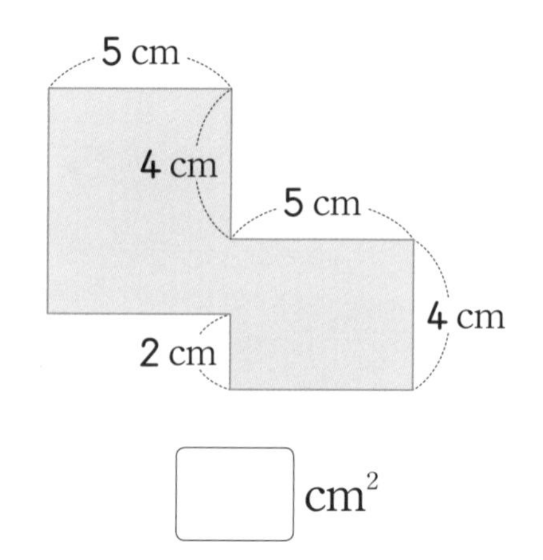

□ cm^2

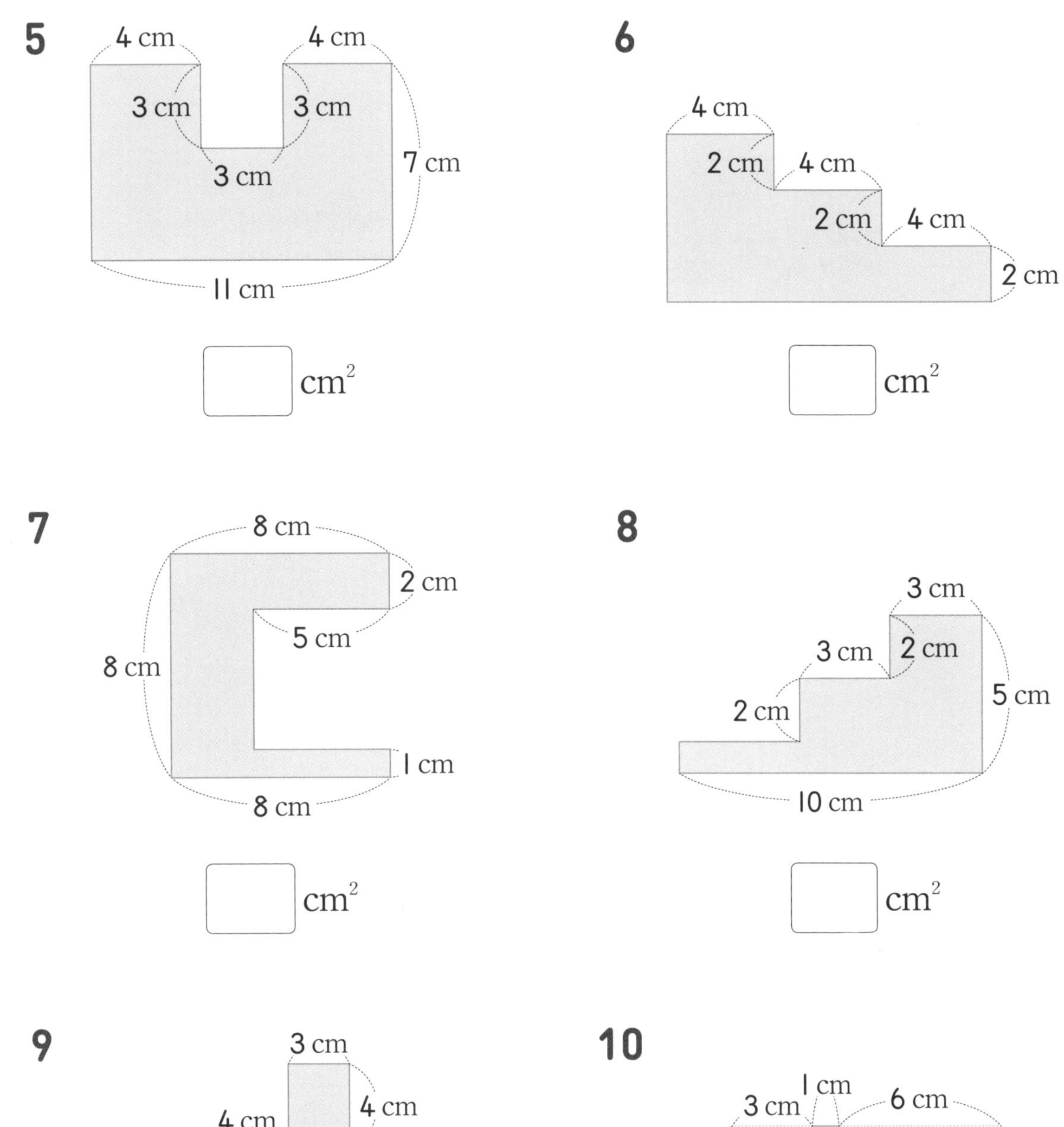
5
4 cm
4 cm
3 cm
3 cm
3 cm
7 cm
11 cm
cm²
6
4 cm
2 cm
4 cm
2 cm
4 cm
2 cm
cm²
7
8 cm
2 cm
5 cm
8 cm
1 cm
8 cm
cm²
8
3 cm
3 cm
2 cm
2 cm
5 cm
10 cm
cm²

9

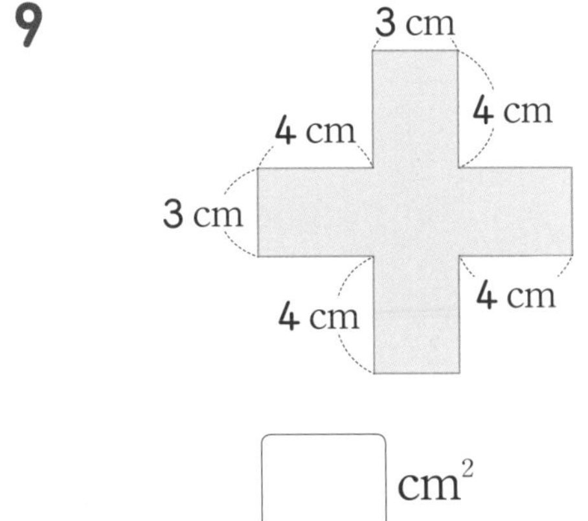
3 cm
4 cm
4 cm
3 cm
4 cm
4 cm

cm²

10

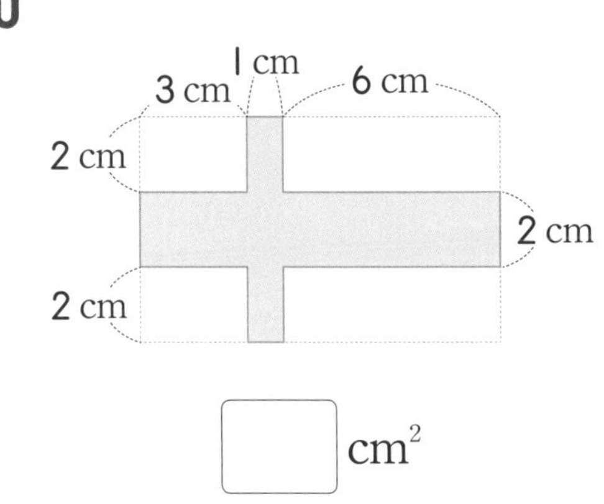
1 cm
3 cm
6 cm
2 cm
2 cm
2 cm

cm²

3일 다각형을 붙인 도형

다각형의 넓이를 구해 □ 안에 써넣으시오.

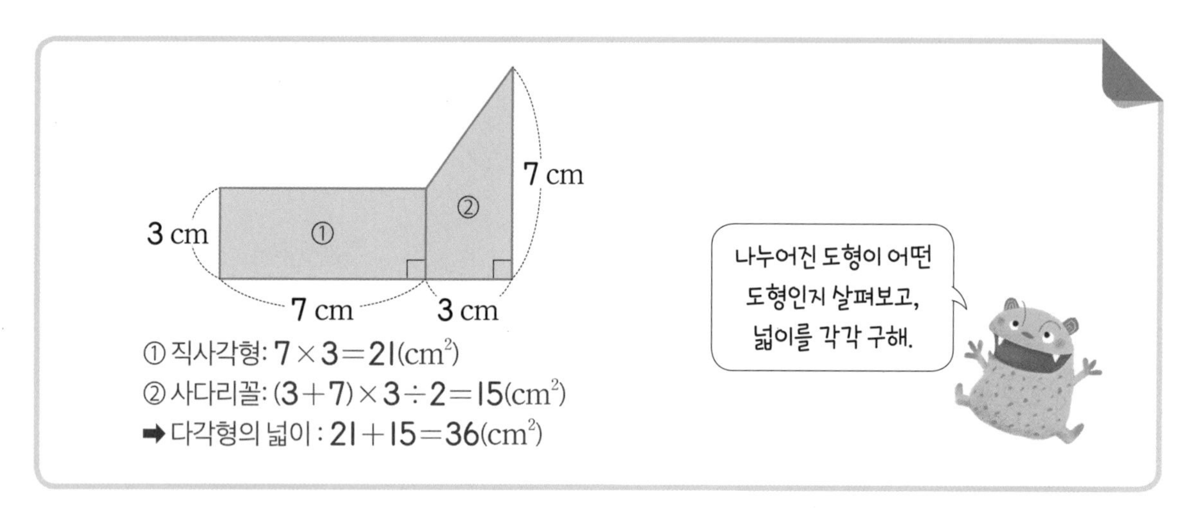

① 직사각형: $7\times3=21(cm^2)$

② 사다리꼴: $(3+7)\times3\div2=15(cm^2)$

➡ 다각형의 넓이 : $21+15=36(cm^2)$

1

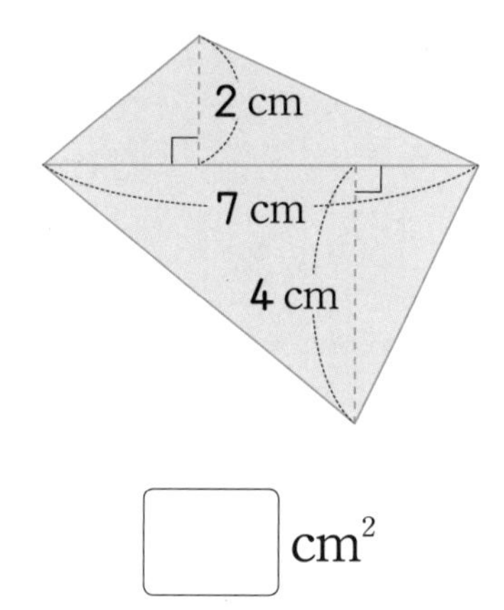

□ cm^2

2

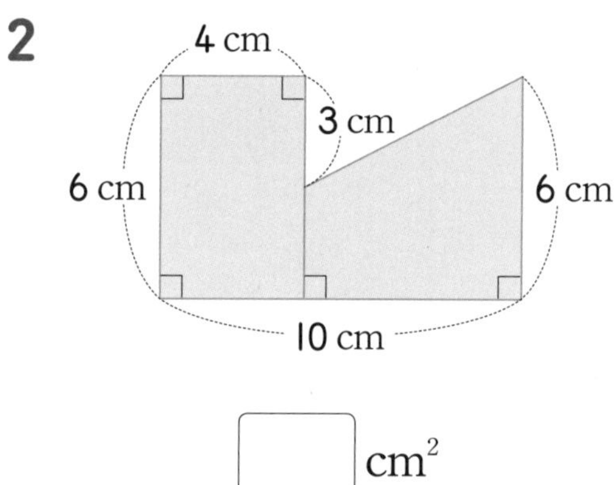

□ cm^2

3

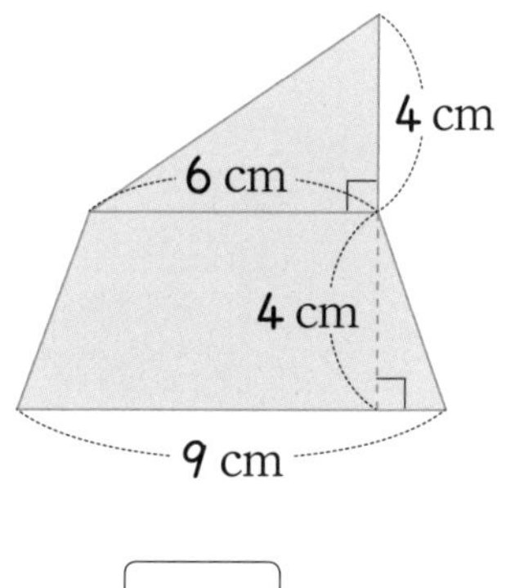

□ cm^2

4

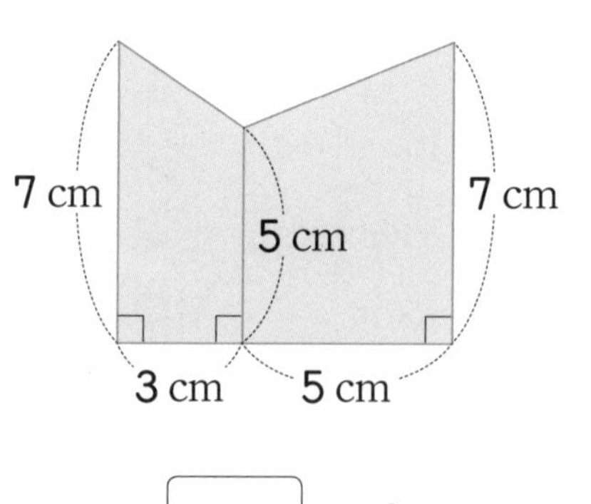

□ cm^2

5

7 cm
4 cm
9 cm
4 cm

☐ cm^2

6

5 cm
3 cm
3 cm
2 cm
3 cm
6 cm

☐ cm^2

7

4 cm
2 cm
4 cm
9 cm
2 cm
4 cm

☐ cm^2

8

2 cm
4 cm
4 cm
5 cm
4 cm

☐ cm^2

9

4 cm
6 cm
8 cm
3 cm

☐ cm^2

10

9 cm
9 cm
2 cm
2 cm
5 cm
5 cm

☐ cm^2

4일 다각형 나누기

 다각형의 넓이를 구해 □ 안에 써넣으시오.

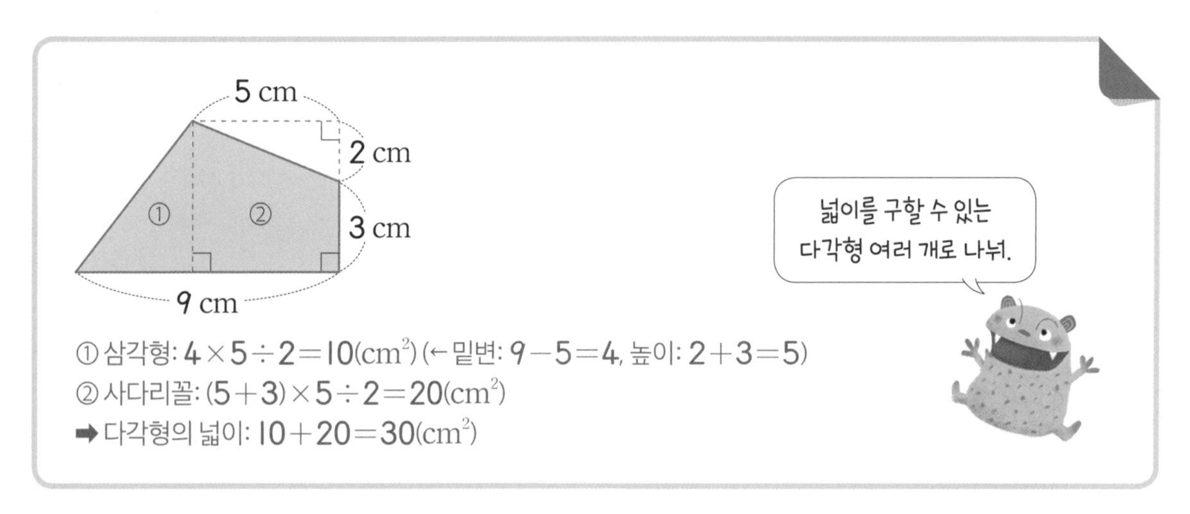

① 삼각형: $4 \times 5 \div 2 = 10(\text{cm}^2)$ (← 밑변: $9-5=4$, 높이: $2+3=5$)
② 사다리꼴: $(5+3) \times 5 \div 2 = 20(\text{cm}^2)$
➡ 다각형의 넓이: $10+20=30(\text{cm}^2)$

1

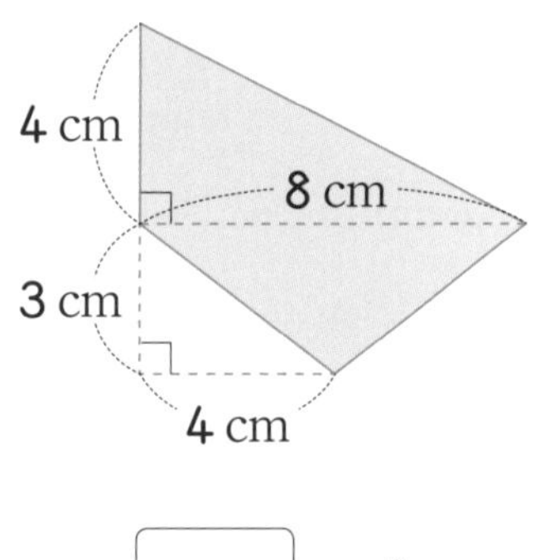

□ cm^2

2

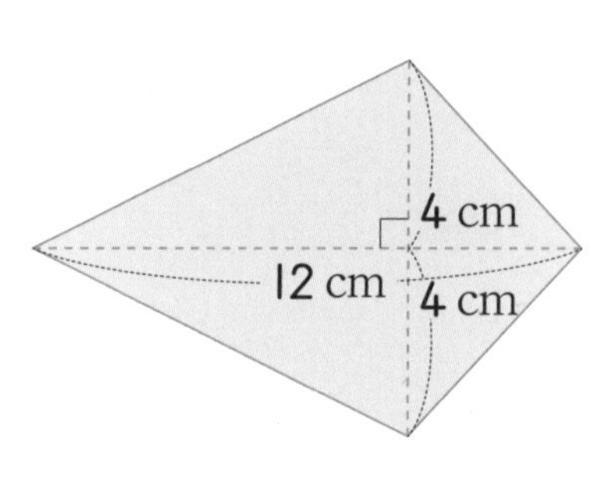

□ cm^2

3

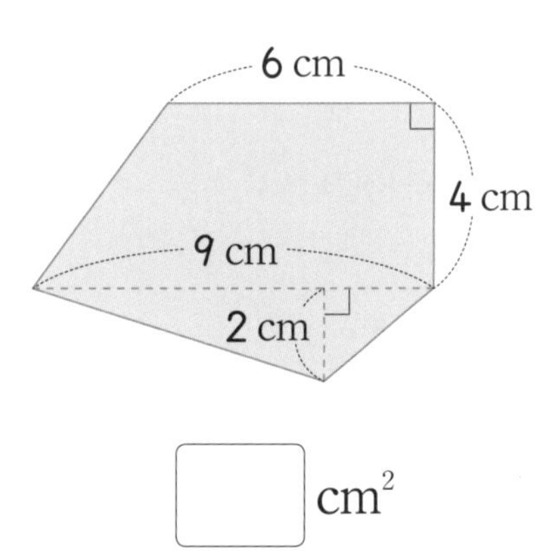

□ cm^2

4

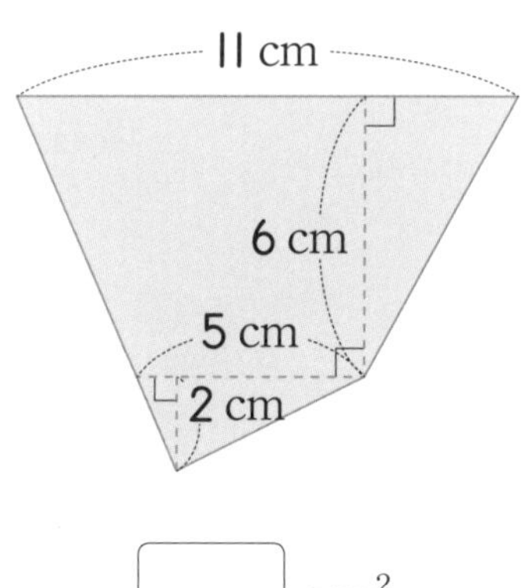

□ cm^2

5

12 cm

8 cm

4 cm

6 cm

☐ cm^2

6

3 cm

3 cm

5 cm

5 cm

9 cm

☐ cm^2

7

4 cm

1 cm

4 cm

10 cm

☐ cm^2

8

3 cm

4 cm

3 cm

3 cm

10 cm

☐ cm^2

9

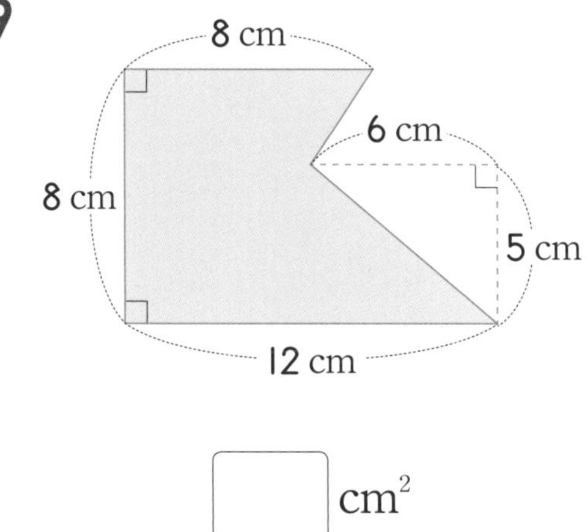

☐ cm^2

10

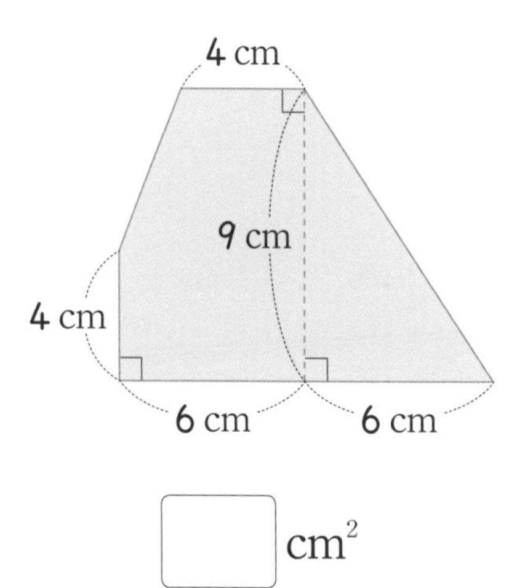

☐ cm^2

5일 큰 도형에서 빼기

 다각형의 넓이를 구해 □ 안에 써넣으시오.

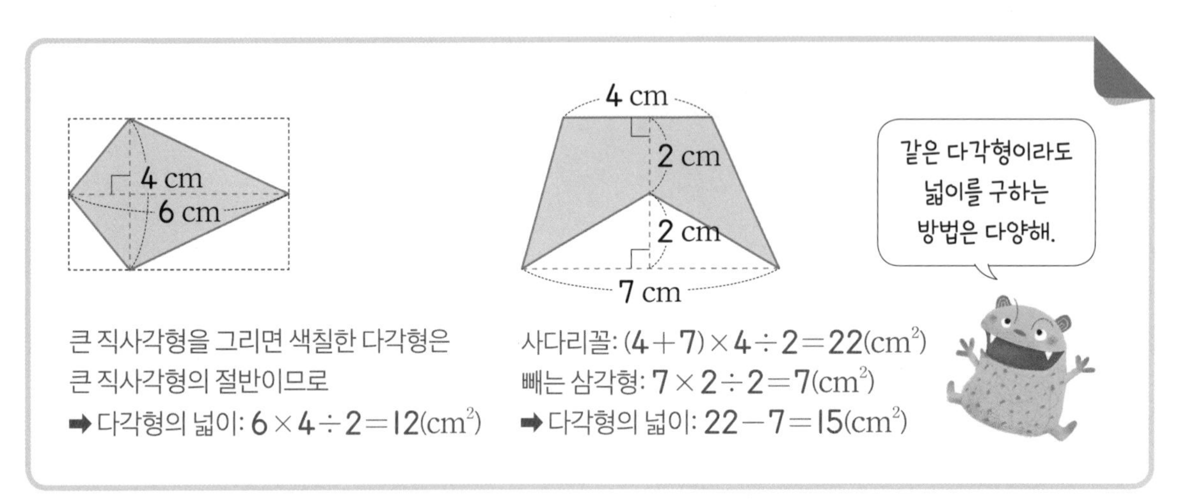

4 cm
6 cm
4 cm
2 cm
2 cm
7 cm
같은 다각형이라도 넓이를 구하는 방법은 다양해.
큰 직사각형을 그리면 색칠한 다각형은 큰 직사각형의 절반이므로
➡ 다각형의 넓이: $6 \times 4 \div 2 = 12(\text{cm}^2)$
사다리꼴: $(4+7) \times 4 \div 2 = 22(\text{cm}^2)$
빼는 삼각형: $7 \times 2 \div 2 = 7(\text{cm}^2)$
➡ 다각형의 넓이: $22 - 7 = 15(\text{cm}^2)$

1

7 cm, 3 cm, 3 cm, 7 cm

□ cm^2

2

5 cm, 4 cm, 1 cm, 8 cm

□ cm^2

3

6 cm, 10 cm

□ cm^2

4

7 cm, 12 cm

□ cm^2

5

4 cm
5 cm
13 cm

☐ cm^2

6

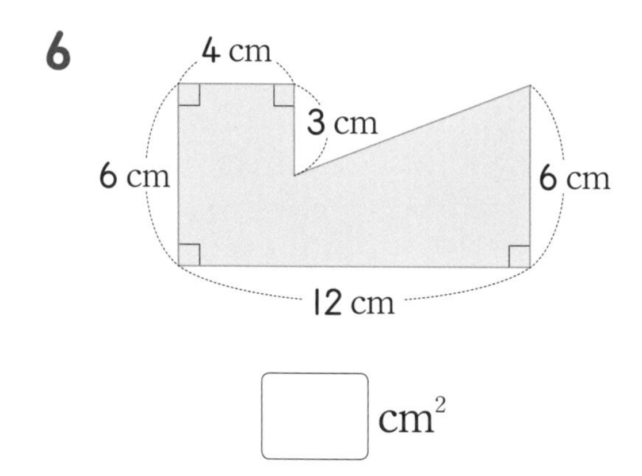

☐ cm^2

7

8 cm
5 cm
5 cm
5 cm

☐ cm^2

8

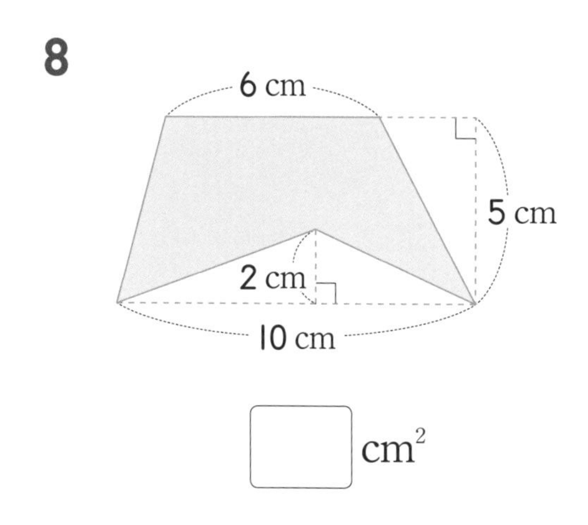

☐ cm^2

9

6 cm
8 cm
6 cm
4 cm
8 cm

☐ cm^2

10

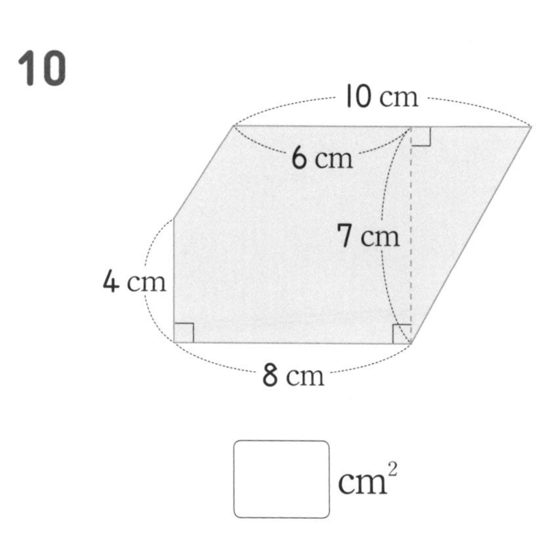

☐ cm^2

다각형의 넓이를 구해 □ 안에 써넣으시오.

1

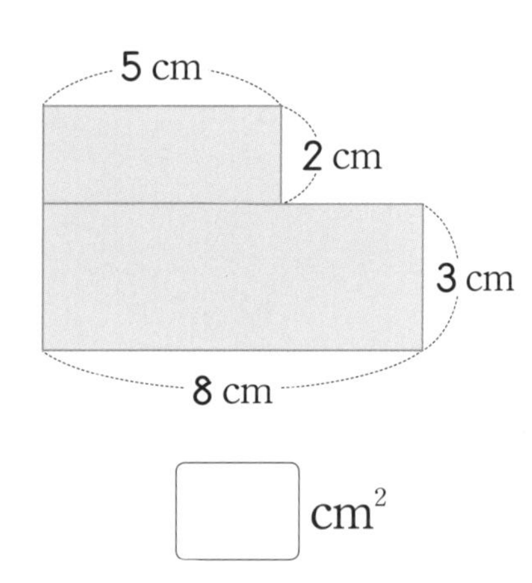

□ cm^2

2

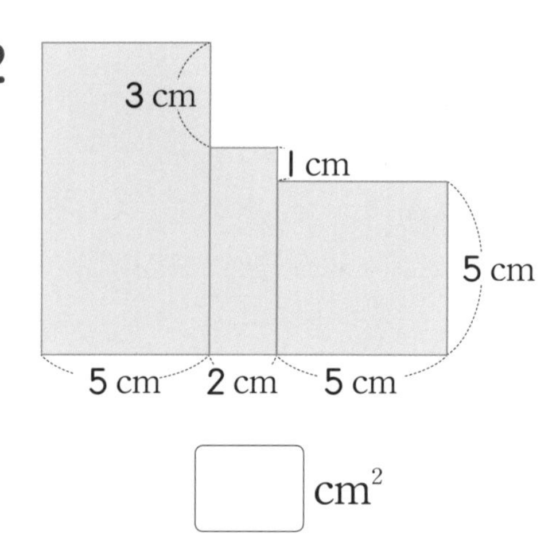

□ cm^2

다각형의 넓이를 구해 □ 안에 써넣으시오.

3

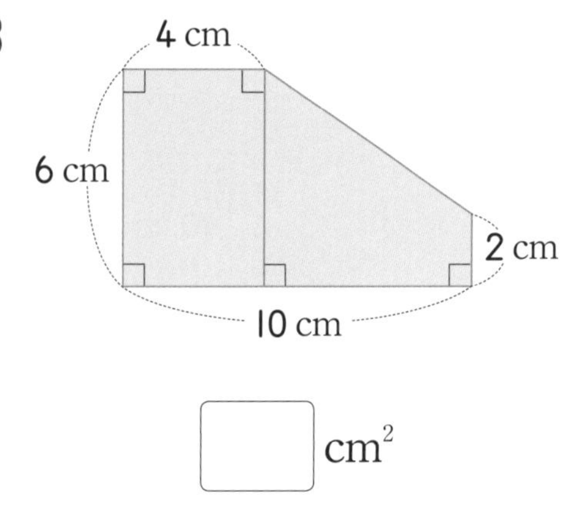

□ cm^2

4

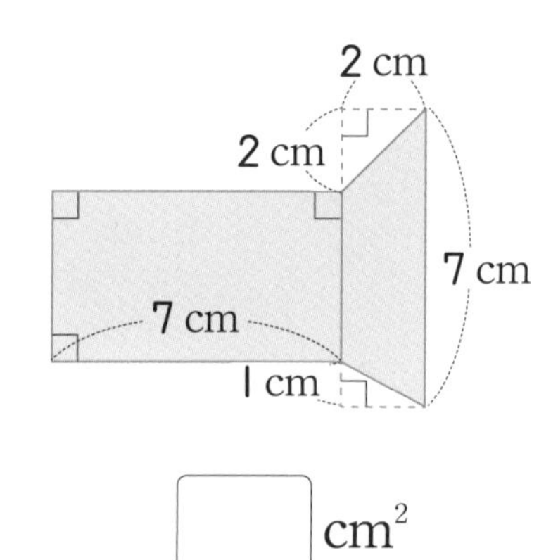

□ cm^2

다각형의 넓이를 구해 □ 안에 써넣으시오.

5

4 cm
4 cm
7 cm
10 cm

□ cm^2

6

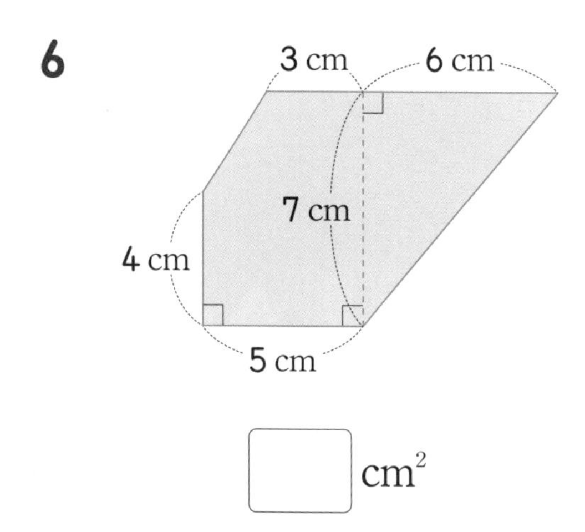

□ cm^2

다각형의 넓이를 구해 □ 안에 써넣으시오.

7

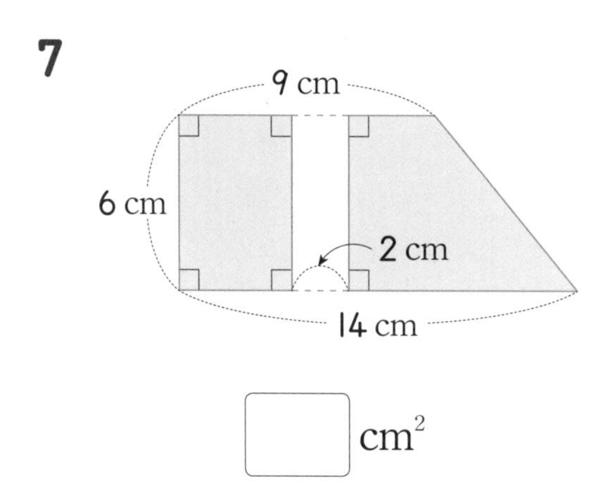

□ cm^2

8

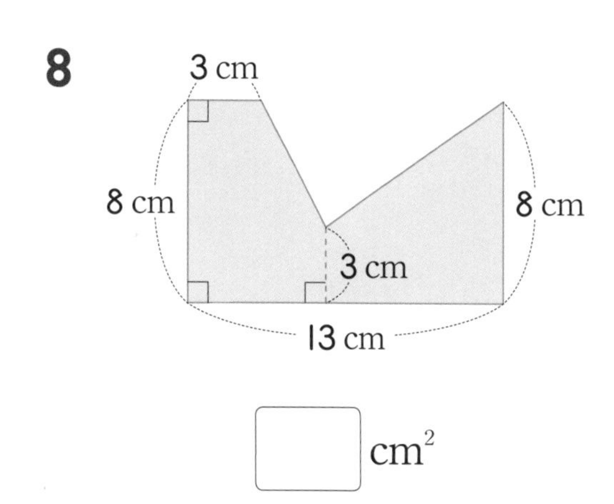

□ cm^2

형성 평가

- 형성 평가에는 앞서 공부한 4주차의 유형이 순서대로 나옵니다.
- 문제가 틀리면 몇 주차인지 확인하여 반드시 다시 한 번 복습합니다.

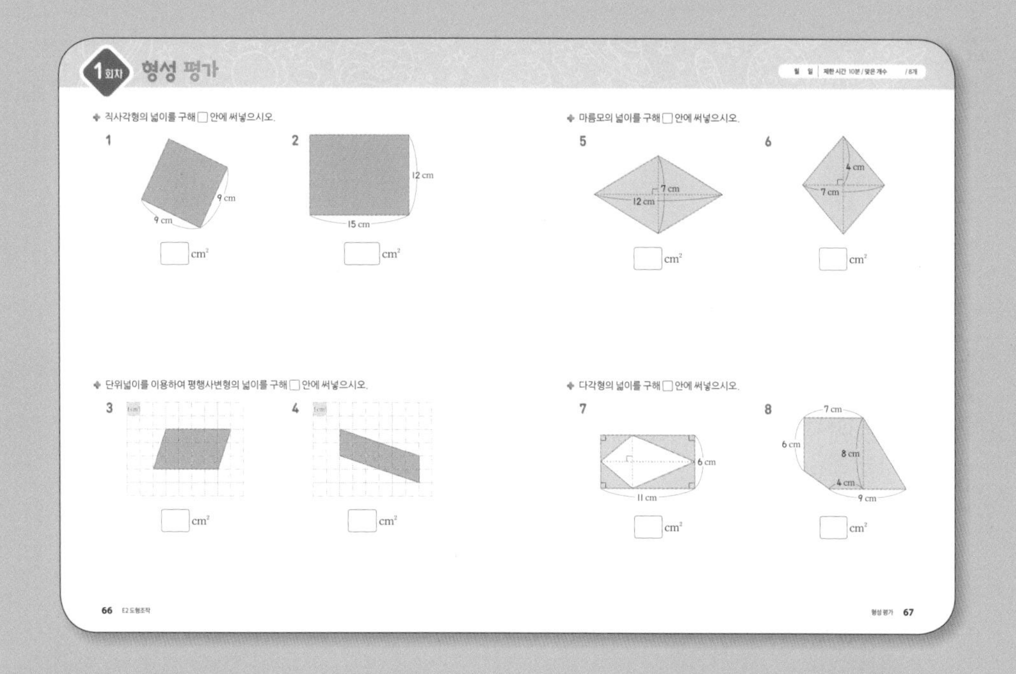

1회차 형성 평가

◆ 직사각형의 넓이를 구해 □ 안에 써넣으시오.

1 9 cm, 9 cm — □ cm^2

2 12 cm, 15 cm — □ cm^2

◆ 마름모의 넓이를 구해 □ 안에 써넣으시오.

5 7 cm, 12 cm — □ cm^2

6 4 cm, 7 cm — □ cm^2

◆ 단위넓이를 이용하여 평행사변형의 넓이를 구해 □ 안에 써넣으시오.

3 □ cm^2

4 □ cm^2

◆ 다각형의 넓이를 구해 □ 안에 써넣으시오.

7 6 cm, 11 cm — □ cm^2

8 7 cm, 6 cm, 8 cm, 4 cm, 9 cm — □ cm^2

66 E2 도형조작 ... 형성 평가 67

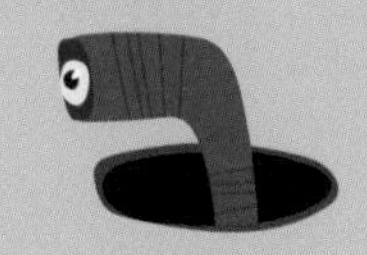

1회차 형성 평가

✚ 직사각형의 넓이를 구해 □ 안에 써넣으시오.

1

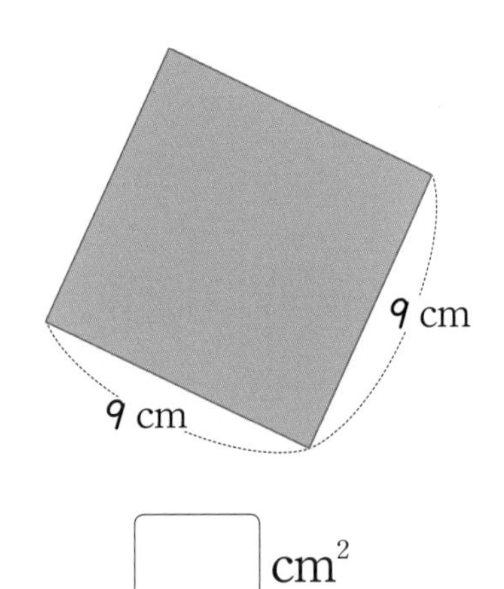

□ cm^2

2

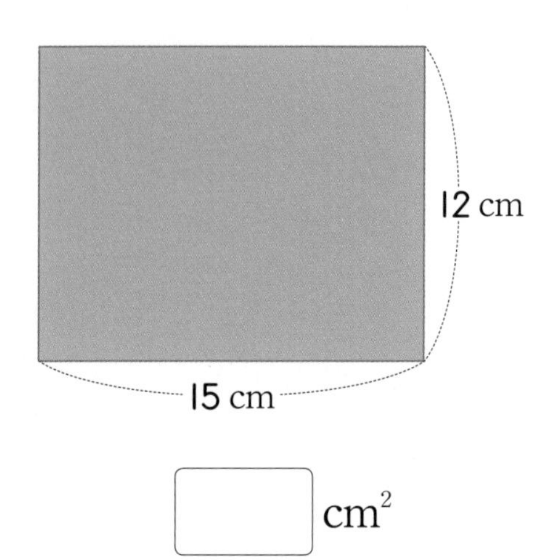

□ cm^2

✚ 단위넓이를 이용하여 평행사변형의 넓이를 구해 □ 안에 써넣으시오.

3

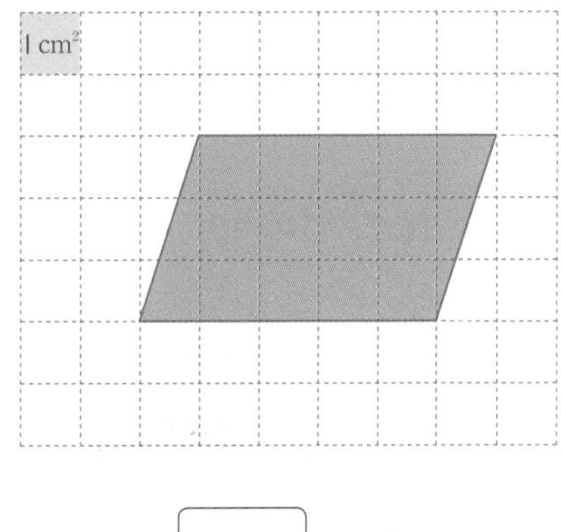

□ cm^2

4

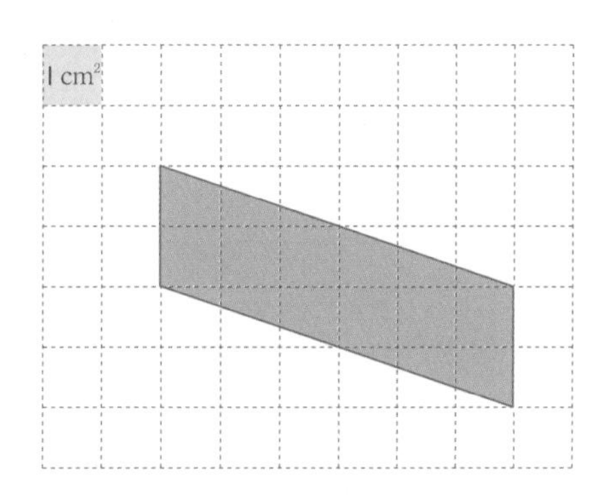

✚ 마름모의 넓이를 구해 □ 안에 써넣으시오.

5

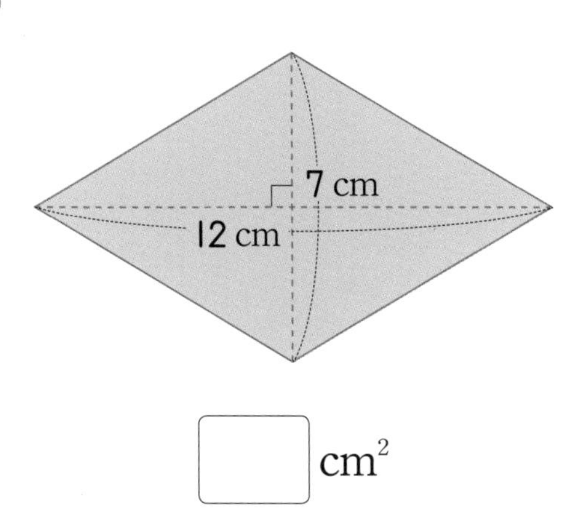

□ cm^2

6

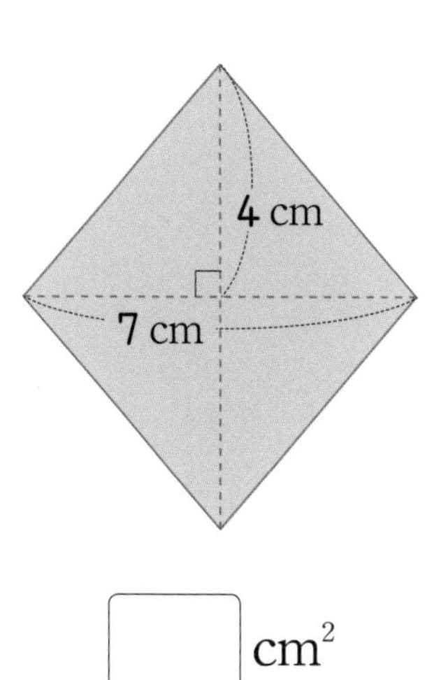

□ cm^2

✚ 다각형의 넓이를 구해 □ 안에 써넣으시오.

7

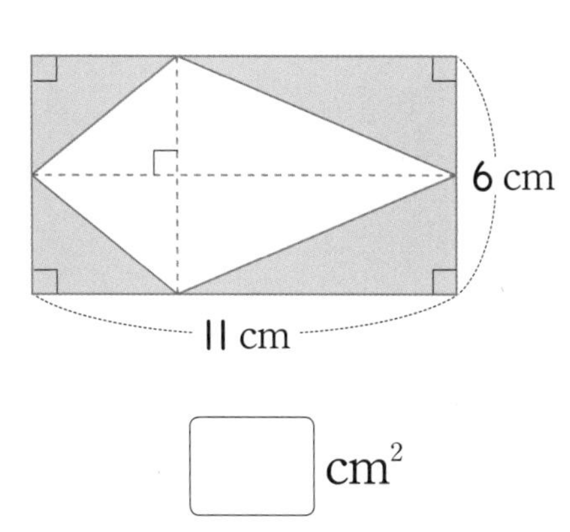

□ cm^2

8

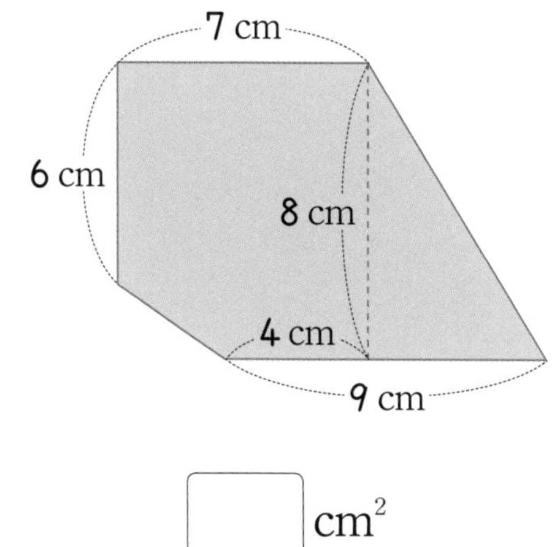

□ cm^2

✚ 주어진 선분을 한 변으로 하는 정해진 넓이의 직사각형을 그려 보시오.

1 넓이: 16 cm^2

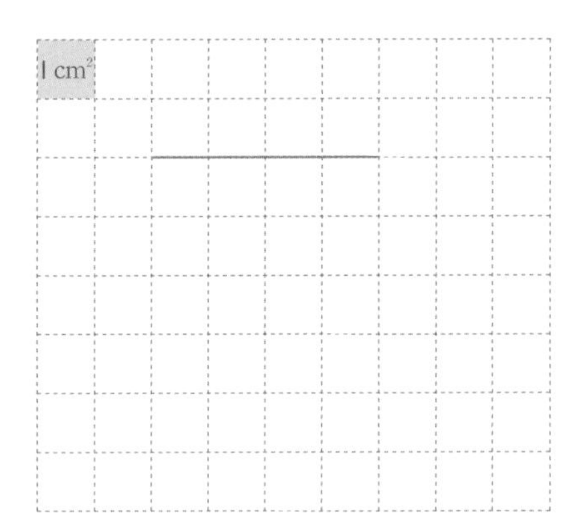

2 넓이: 35 cm^2

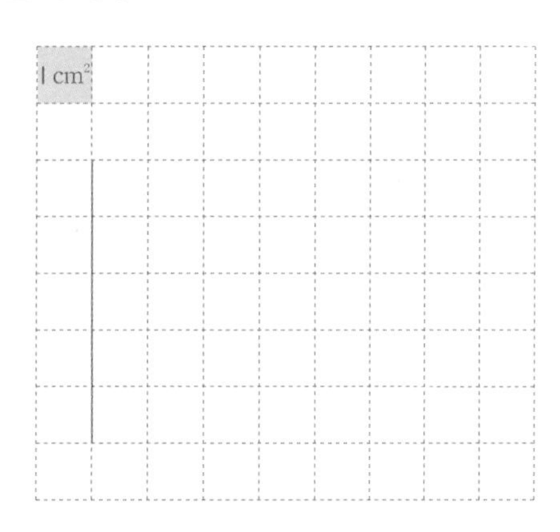

✚ 점선을 한 변으로 하는 합동인 삼각형을 그려 평행사변형을 만들고, 평행사변형과 삼각형의 넓이를 각각 구해 □ 안에 써넣으시오.

3

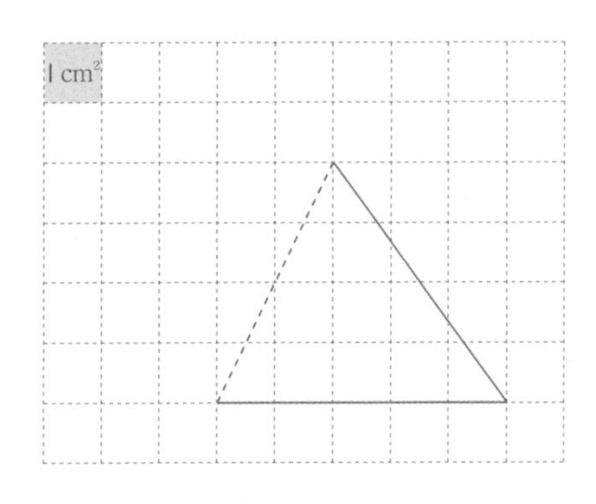

➡

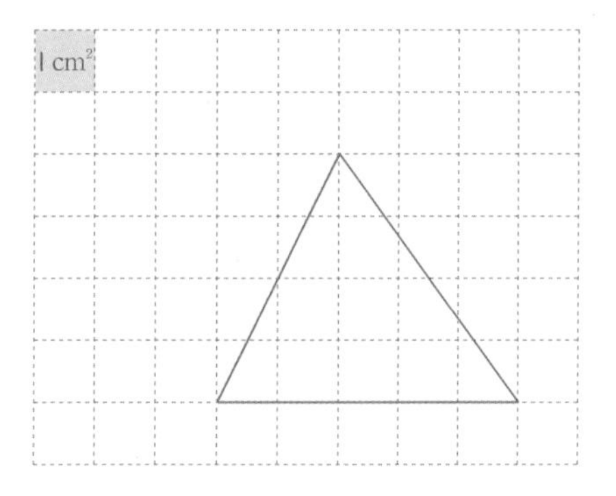

□ cm^2

✚ 사다리꼴과 마름모입니다. □ 안에 알맞은 수를 써넣으시오.

4 넓이: 49 cm^2

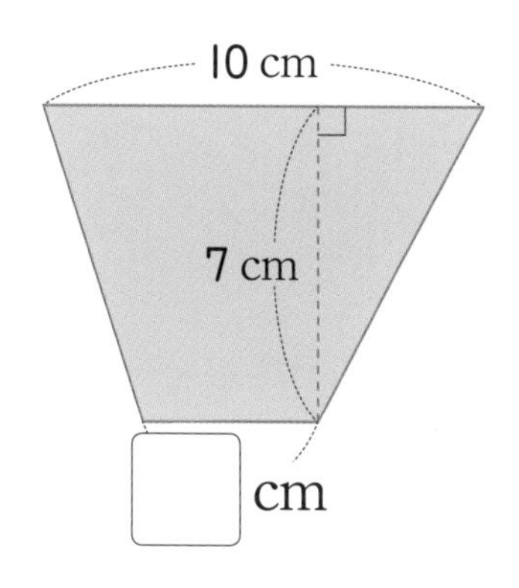

5 넓이: 30 cm^2

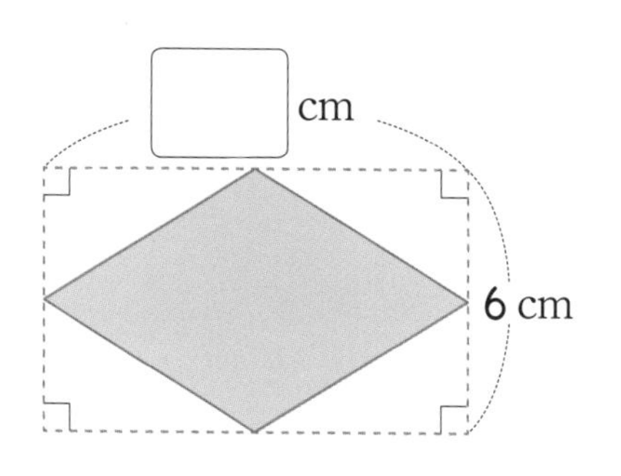

✚ 다각형의 넓이를 구해 □ 안에 써넣으시오.

6

9 cm
2 cm
9 cm
4 cm
9 cm

□ cm^2

7

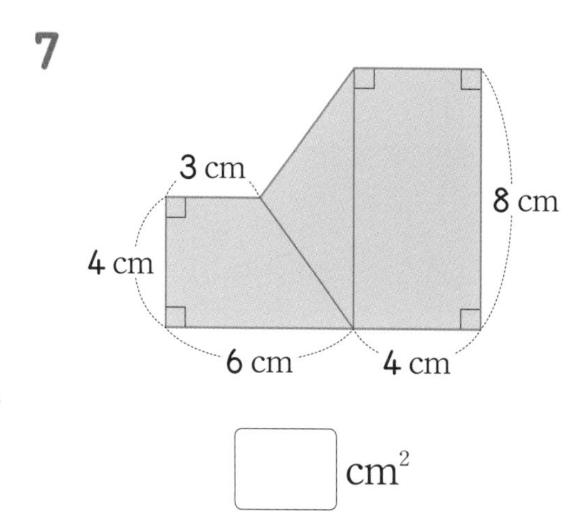

□ cm^2

3회차 형성 평가

✚ 둘레가 주어진 직사각형입니다. 넓이를 구해 □ 안에 써넣으시오.

1 둘레: 12 cm

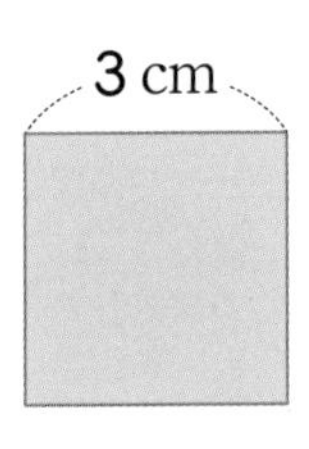

□ cm^2

2 둘레: 26 cm

□ cm^2

✚ 평행사변형의 넓이를 구해 □ 안에 써넣으시오.

3

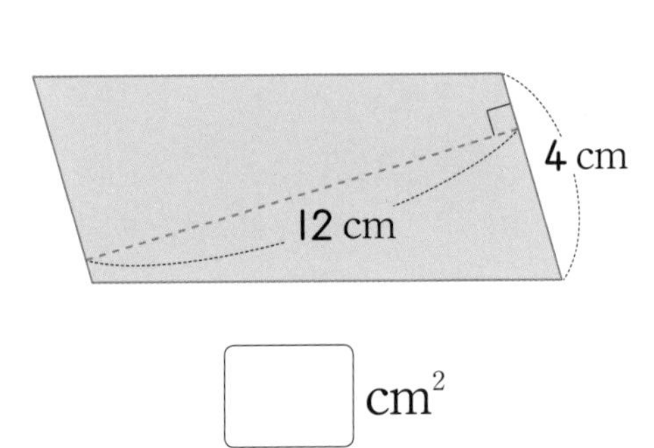

□ cm^2

4

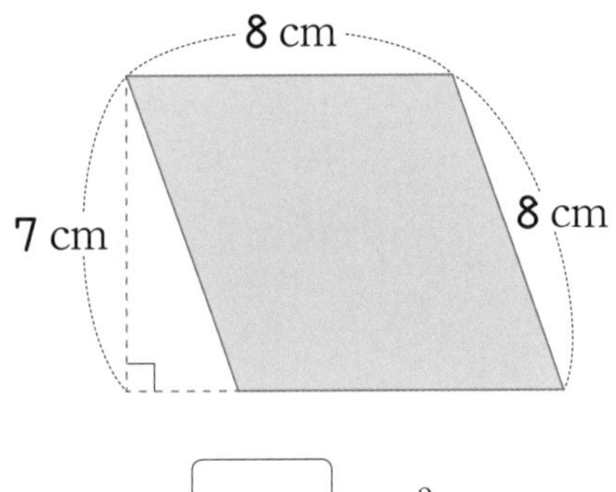

□ cm^2

✚ 넓이가 같은 도형 2개를 찾아 각각 ○표 하시오.

5

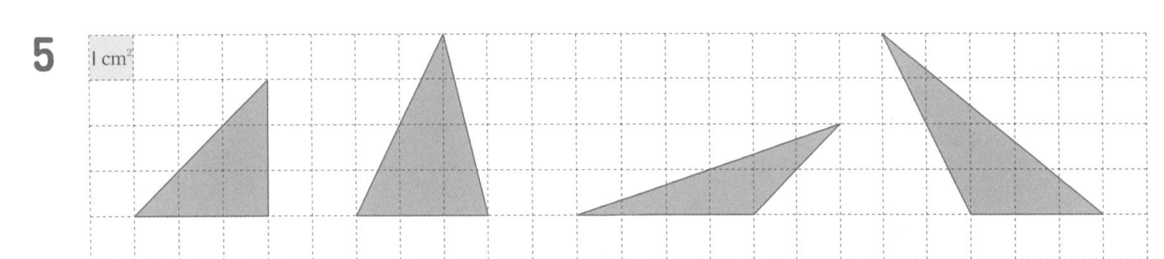

6

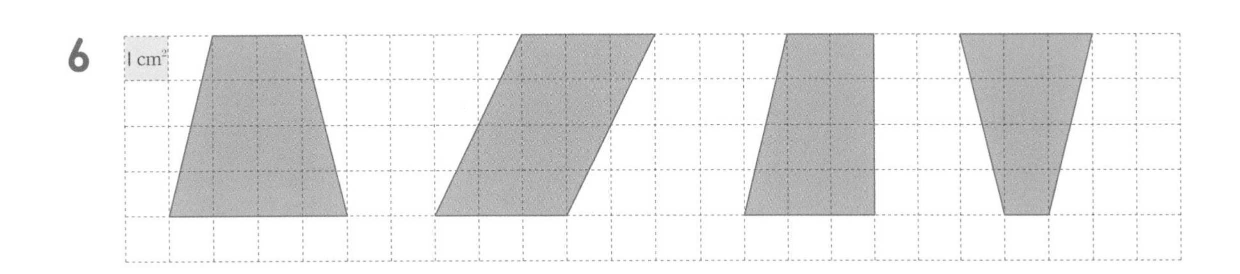

✚ 다각형의 넓이를 구해 □ 안에 써넣으시오.

7

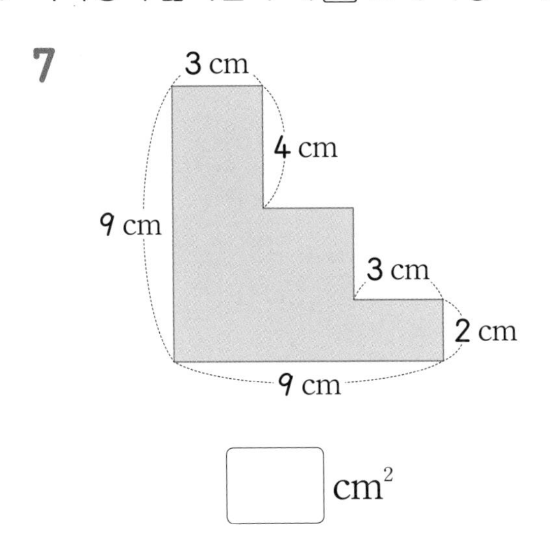

□ cm²

8

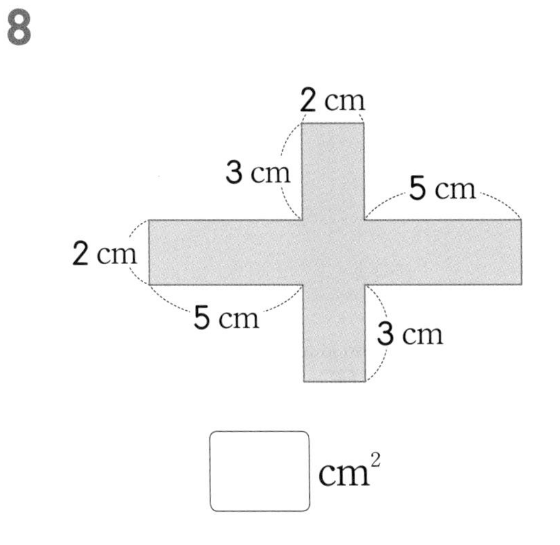

□ cm²

✚ 단위넓이를 이용하여 직사각형의 넓이를 구해 □ 안에 써넣으시오.

1

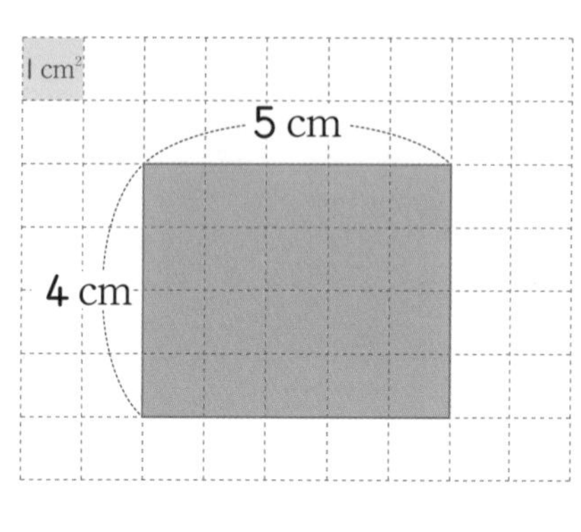

□ cm^2

2

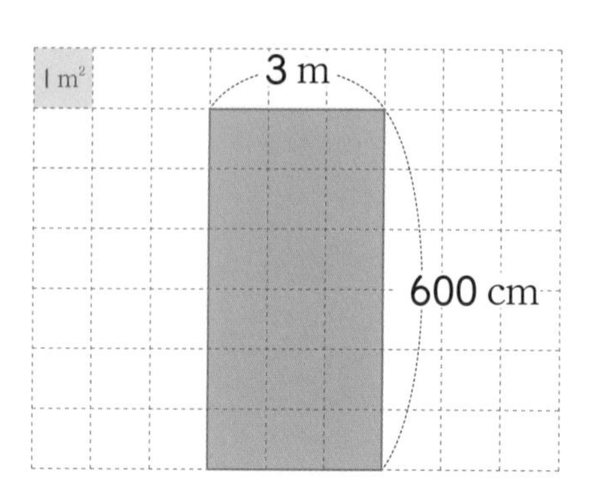

□ m^2

✚ 삼각형의 넓이를 구해 □ 안에 써넣으시오.

3

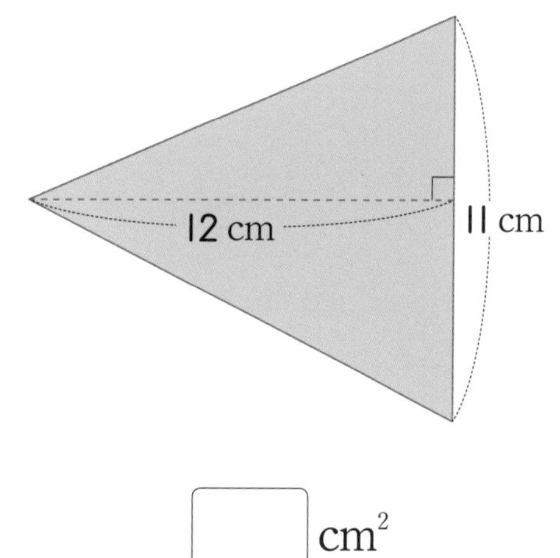

□ cm^2

4

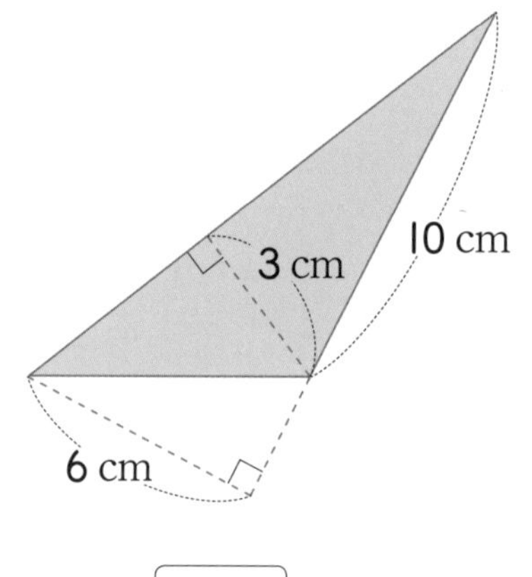

□ cm^2

✚ 점선을 한 변으로 하는 합동인 사다리꼴을 그려 평행사변형을 만들고, 평행사변형과 사다리꼴의 넓이를 각각 구해 □ 안에 써넣으시오.

5

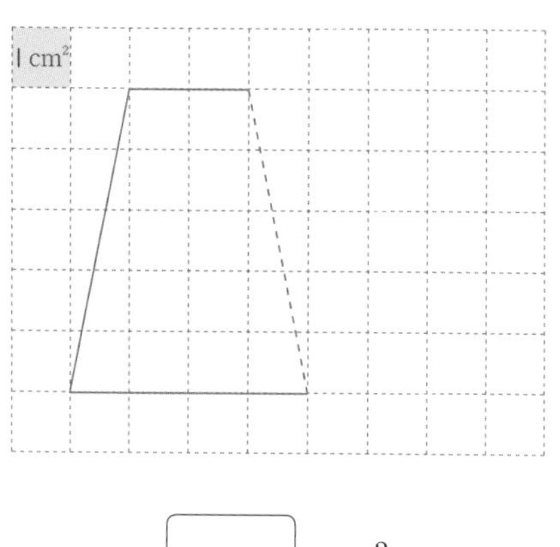

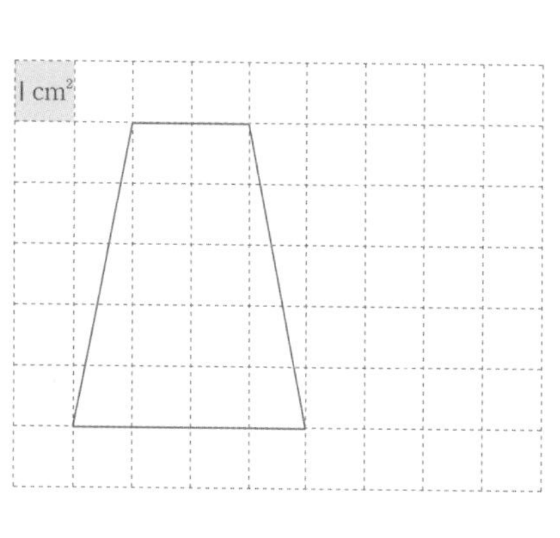

□ cm^2 □ cm^2

✚ 다각형의 넓이를 구해 □ 안에 써넣으시오.

6

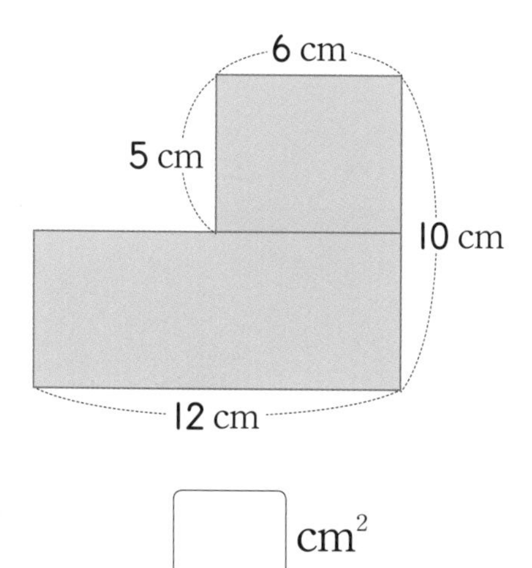

□ cm^2

7

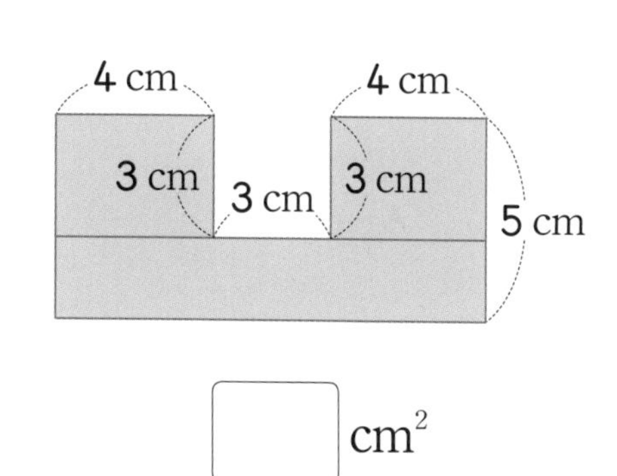

□ cm^2

5회차 형성 평가

단위넓이를 이용하여 다각형의 넓이를 구해 □ 안에 써넣으시오.

1

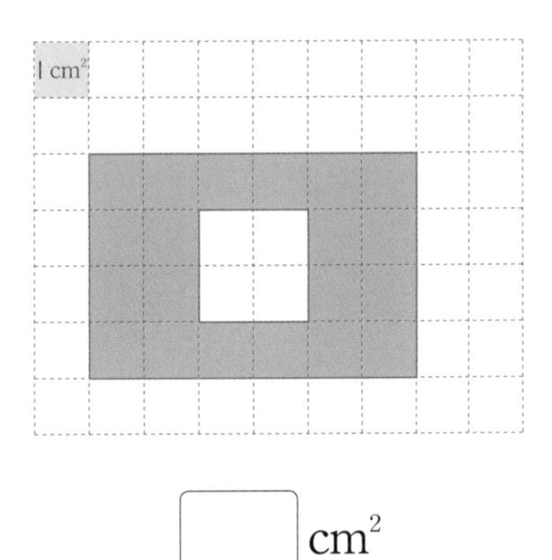

□ cm^2

2

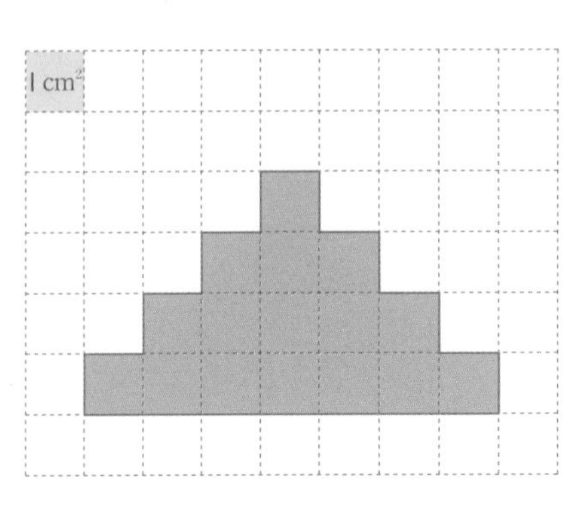

□ cm^2

평행사변형과 삼각형입니다. □ 안에 알맞은 수를 써넣으시오.

3 넓이: 54 cm^2

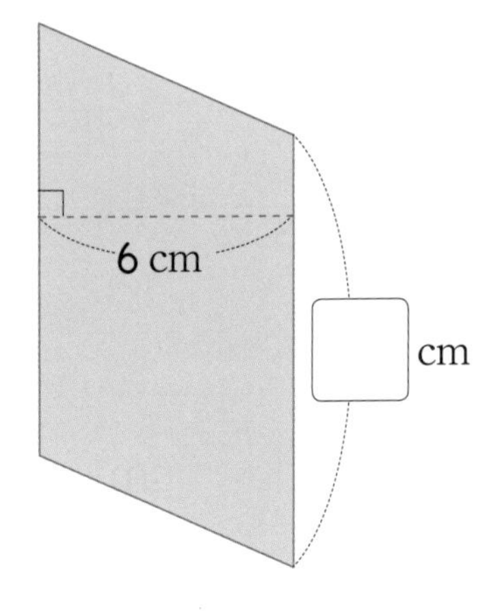

4 넓이: 75 cm^2

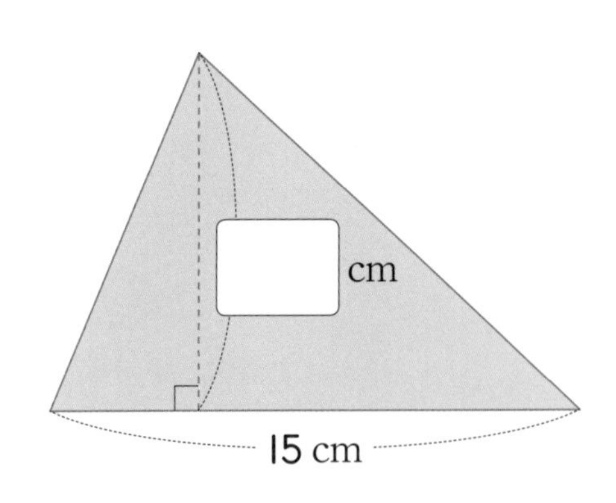

✚ 사다리꼴의 넓이를 구해 □ 안에 써넣으시오.

5

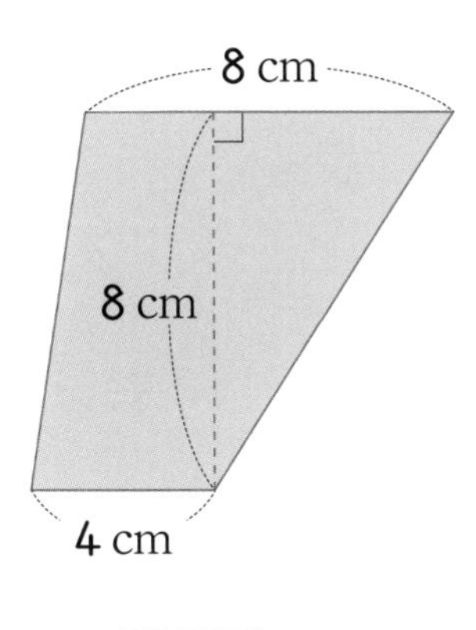

□ cm^2

6

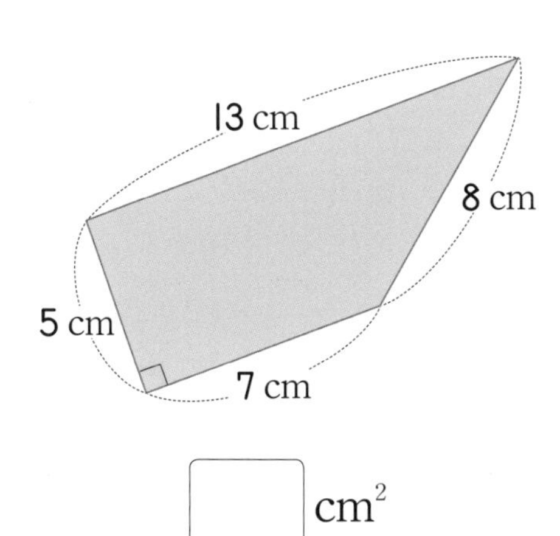

□ cm^2

✚ 다각형의 넓이를 구해 □ 안에 써넣으시오.

7

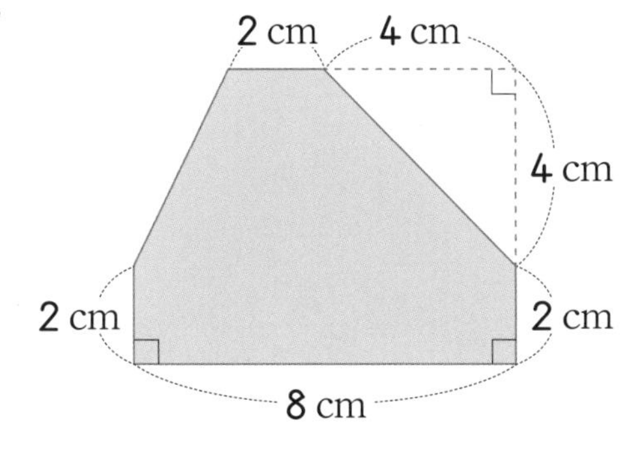

□ cm^2

8

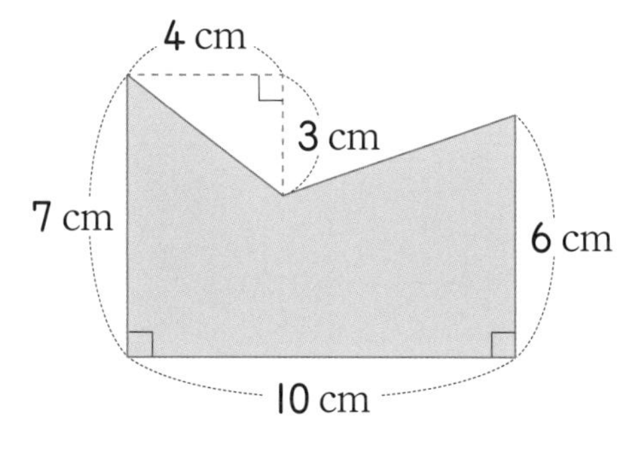

□ cm^2

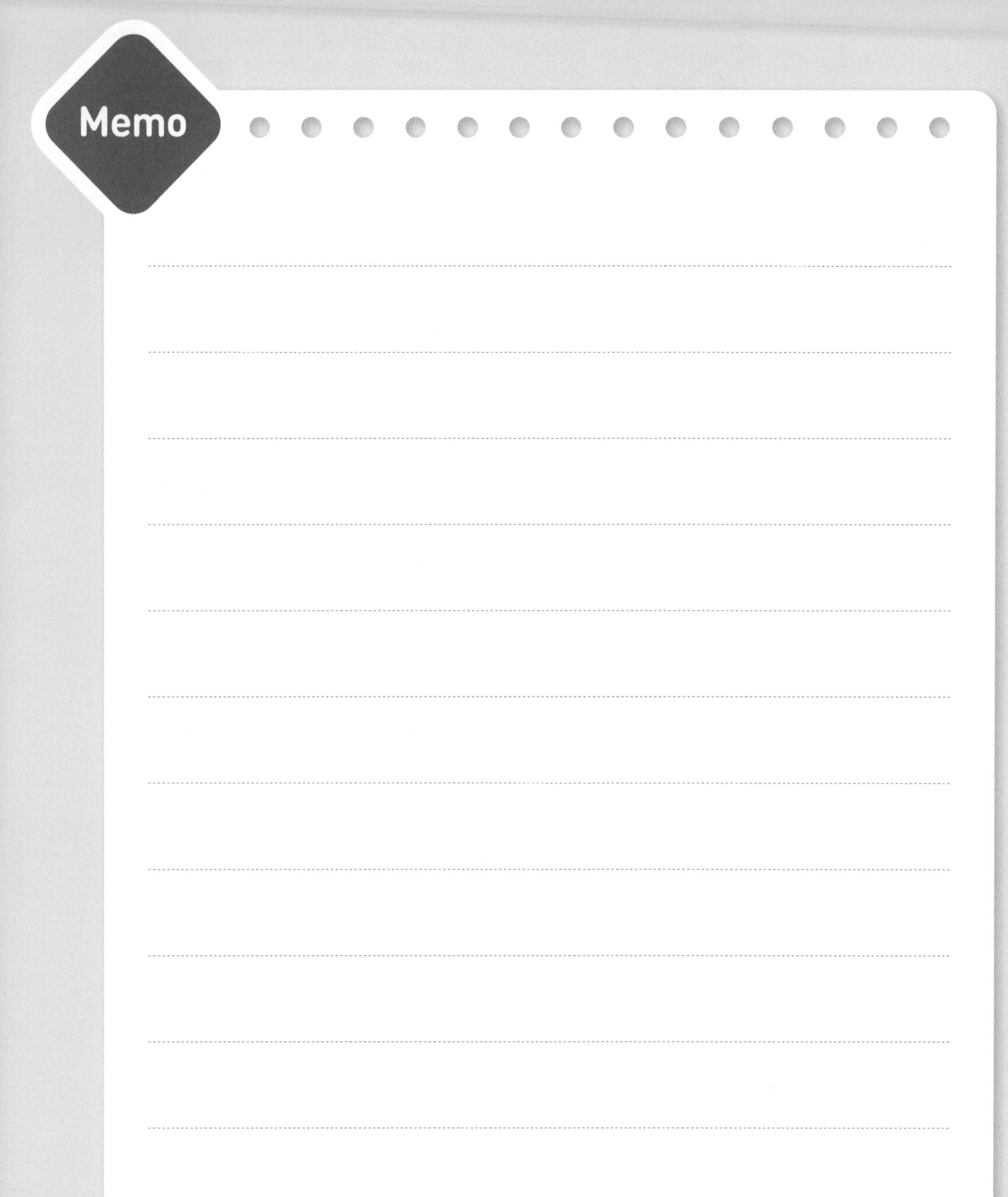
Memo

도형 학습의 기준

플라토

PLATO

E2

도형조작 | 초5

사고가 자라는 수학

씨투엠

정답과 해설
도형 학습의 기준
플라토
PLATO
E2
도형조작 | 초5
사고가 자라는 수학
씨투엠

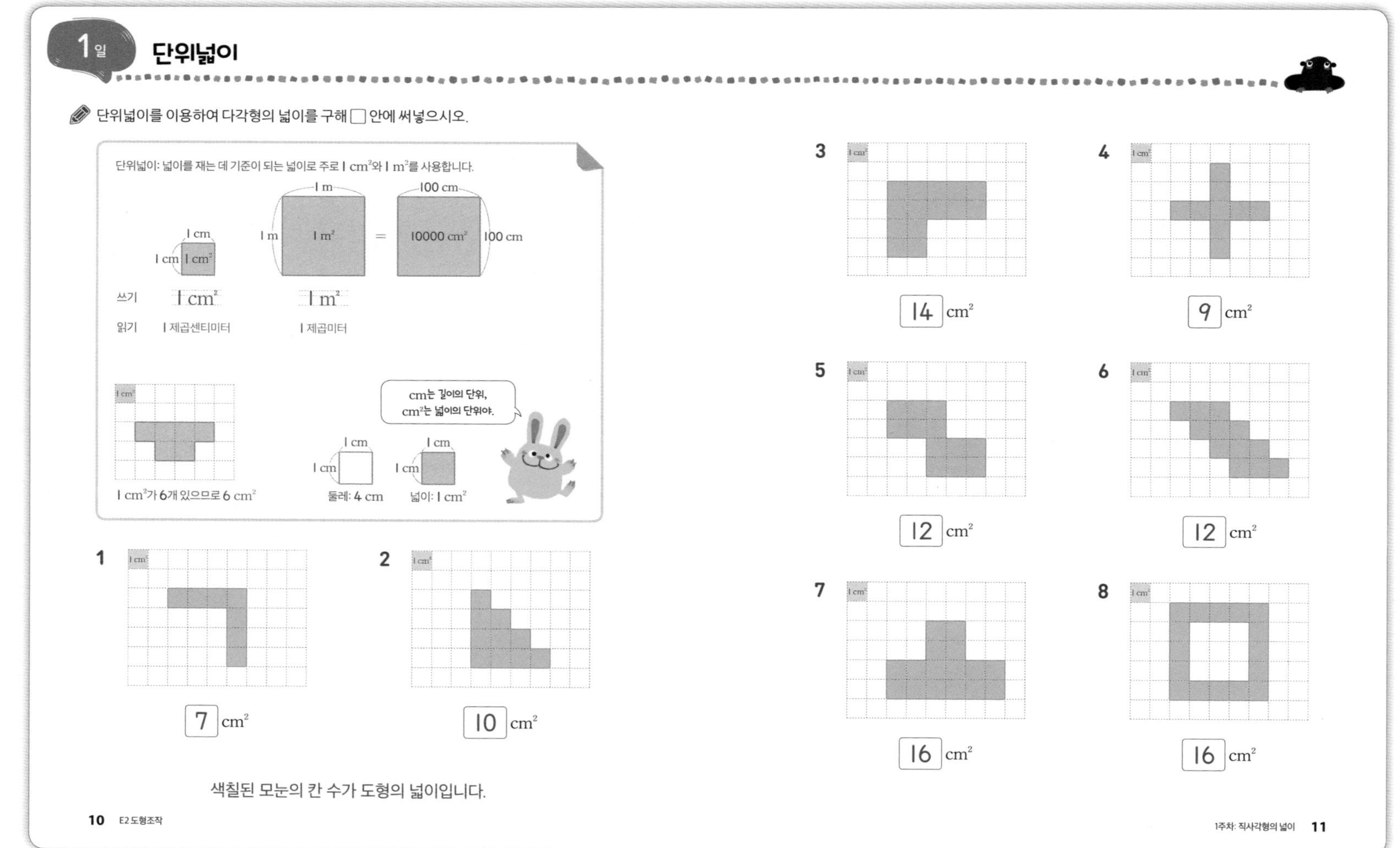
1일 단위넓이
단위넓이를 이용하여 다각형의 넓이를 구해 □ 안에 써넣으시오.
단위넓이: 넓이를 재는 데 기준이 되는 넓이로 주로 1 cm²와 1 m²를 사용합니다.
1 cm
1 cm
1 cm²
1 m
1 m
1 m²
=
100 cm
100 cm
10000 cm²
쓰기
1 cm²
1 m²
읽기
1 제곱센티미터
1 제곱미터
1 cm²
1 cm²가 6개 있으므로 6 cm²
cm는 길이의 단위,
cm²는 넓이의 단위야.
1 cm
1 cm
둘레: 4 cm
1 cm
1 cm
넓이: 1 cm²
1
7 cm²
2
10 cm²
3
14 cm²
4
9 cm²
5
12 cm²
6
12 cm²
7
16 cm²
8
16 cm²
색칠된 모눈의 칸 수가 도형의 넓이입니다.
10 E2 도형조작
1주차: 직사각형의 넓이 11

2일 단위넓이와 직사각형

단위넓이를 이용하여 직사각형의 넓이를 구해 □ 안에 써넣으시오.

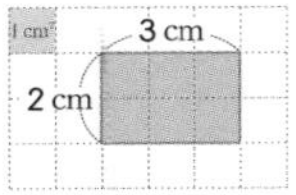

1 cm^2, 3 cm, 2 cm

단위넓이가 가로에 3개, 세로에 2개 → 모두 6개
➡ 6 cm^2

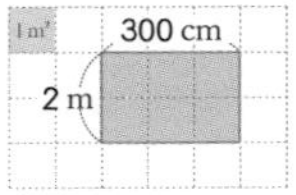

1 m^2, 300 cm, 2 m

단위넓이가 가로에 3개, 세로에 2개 → 모두 6개
➡ 6 m^2 = 60000 cm^2

단위넓이가 가로와 세로에 각각 몇 개씩 있는지 세어 봐.

1. 3 cm, 3 cm — 9 cm^2

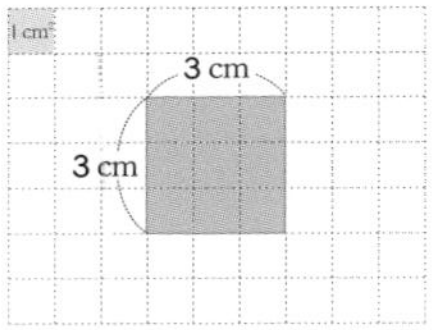

2. 5 cm, 2 cm — 10 cm^2

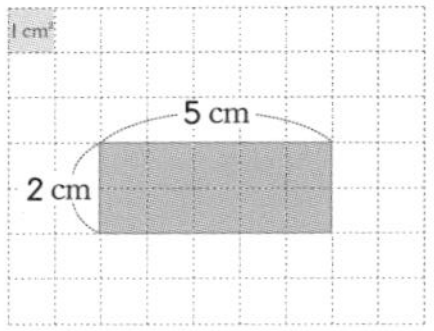

3. 7 cm, 3 cm — 21 cm^2

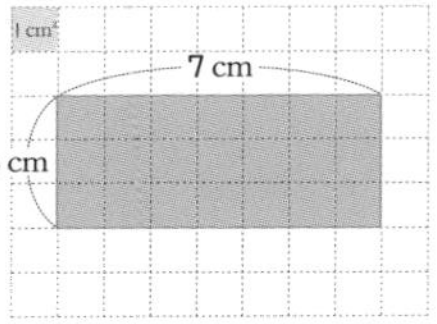

4. 4 cm, 6 cm — 24 cm^2

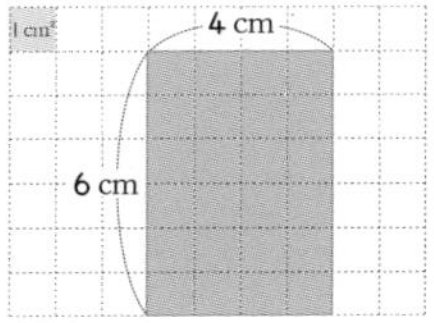

5. 3 m, 4 m — 12 m^2

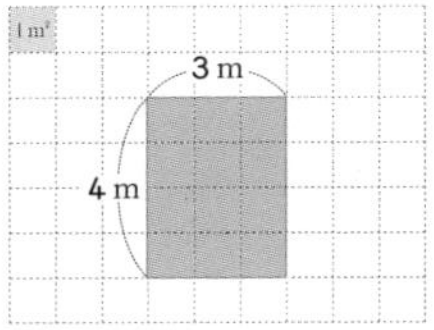

6. 5 m, 3 m — 15 m^2

7. 400 cm, 4 m — 16 m^2

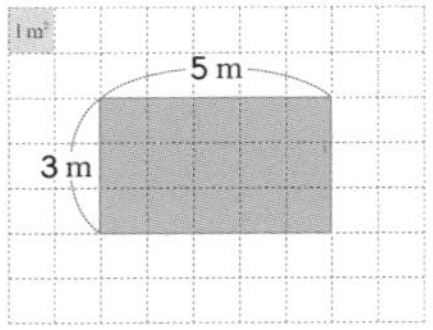

8. 800 cm, 2 m — 16 m^2

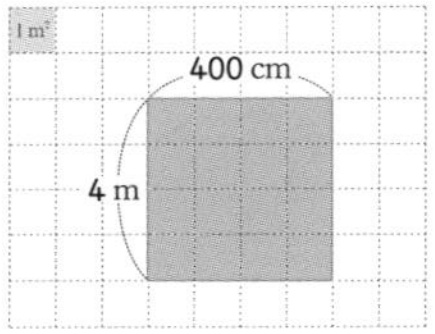

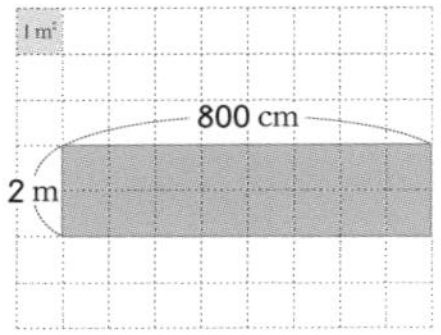

9. 600 cm, 300 cm — 18 m^2

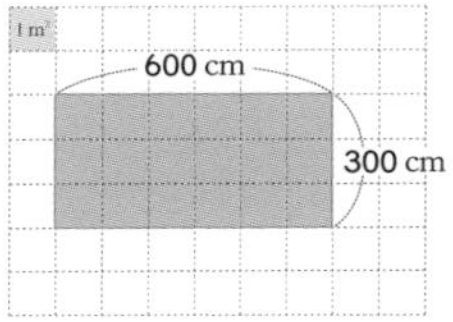

10. 600 cm, 200 cm — 12 m^2

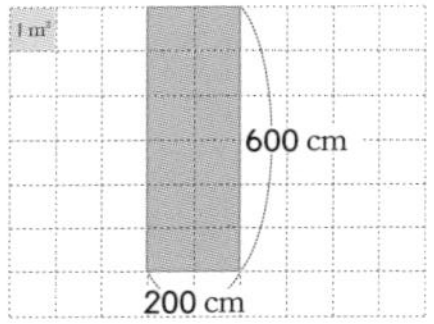

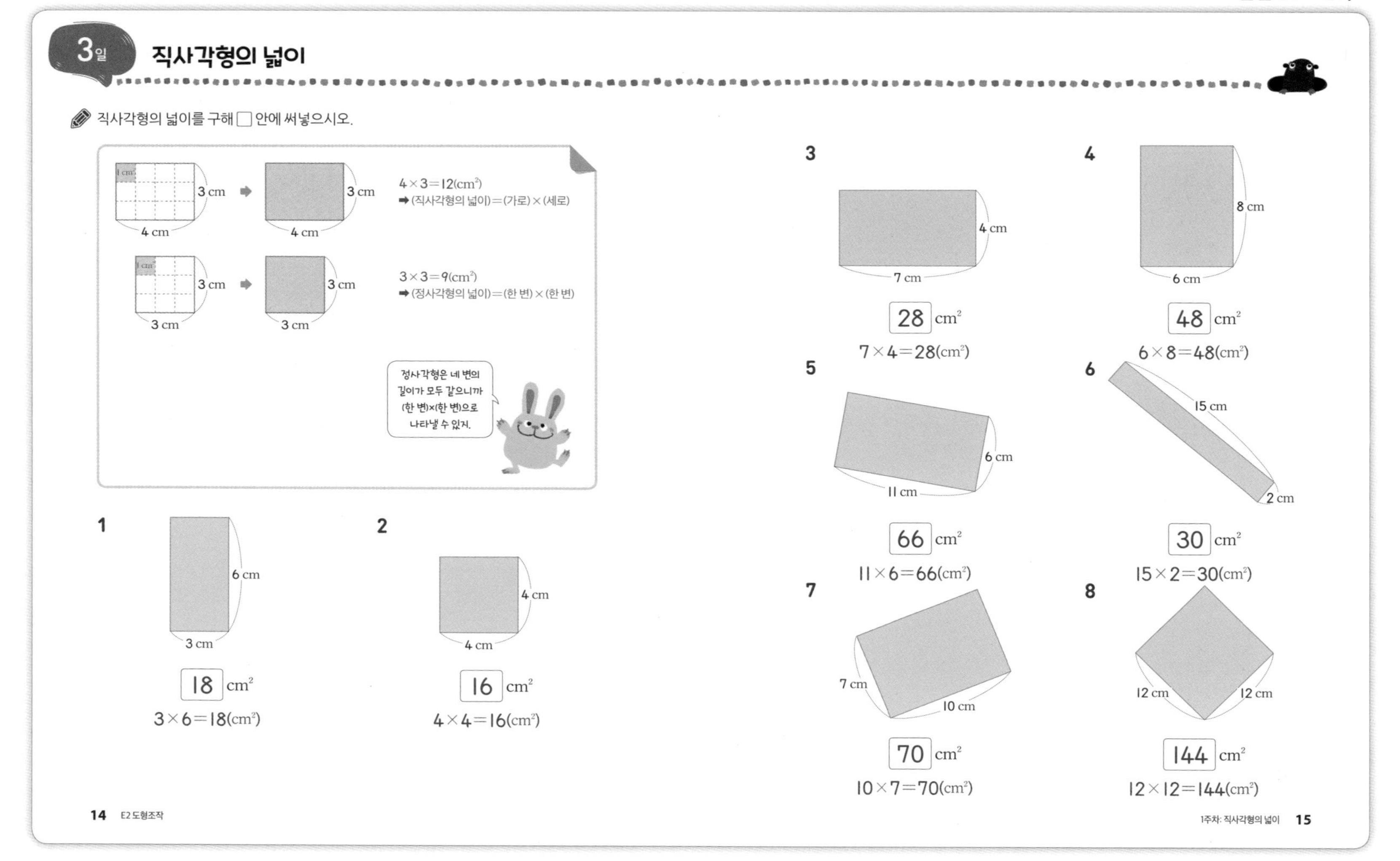

3일 직사각형의 넓이

직사각형의 넓이를 구해 □ 안에 써넣으시오.

$4 \times 3 = 12(cm^2)$
➡ (직사각형의 넓이)=(가로)×(세로)

$3 \times 3 = 9(cm^2)$
➡ (정사각형의 넓이)=(한 변)×(한 변)

1 cm²
3 cm
4 cm
3 cm
정사각형은 네 변의 길이가 모두 같으니까 (한 변)×(한 변)으로 나타낼 수 있지.

1 18 cm²
$3 \times 6 = 18(cm^2)$

2 16 cm²
$4 \times 4 = 16(cm^2)$

3 28 cm²
$7 \times 4 = 28(cm^2)$

4 48 cm²
$6 \times 8 = 48(cm^2)$

5 66 cm²
$11 \times 6 = 66(cm^2)$

6 30 cm²
$15 \times 2 = 30(cm^2)$

7 70 cm²
$10 \times 7 = 70(cm^2)$

8 144 cm²
$12 \times 12 = 144(cm^2)$

4일 직사각형 그리기

주어진 선분을 한 변으로 하는 정해진 넓이의 직사각형을 그려 보시오.

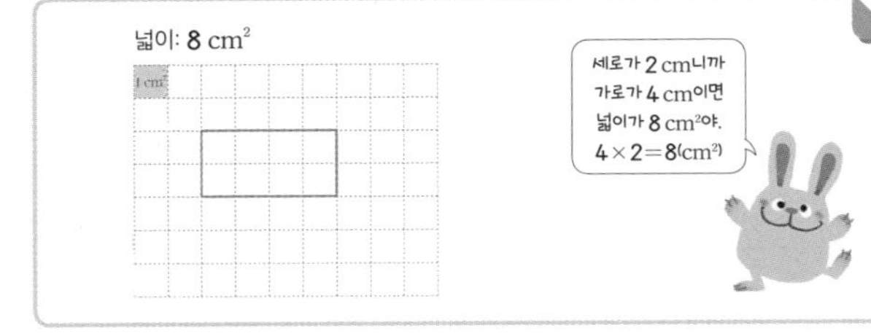
넓이: 8 cm²
1 cm²
세로가 2 cm니까
가로가 4 cm이면
넓이가 8 cm²야.
4×2=8(cm²)

1 넓이: 6 cm²

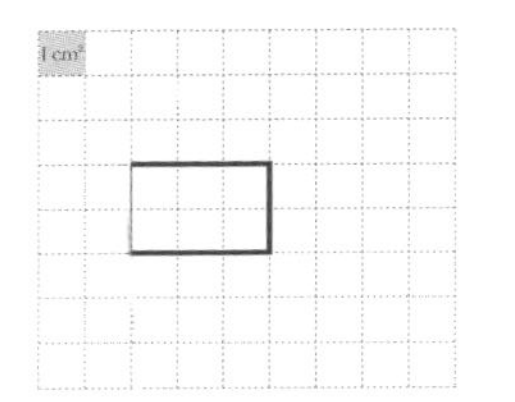

가로: $6 \div 2 = 3$

2 넓이: 9 cm²

세로: $9 \div 3 = 3$

3 넓이: 12 cm²

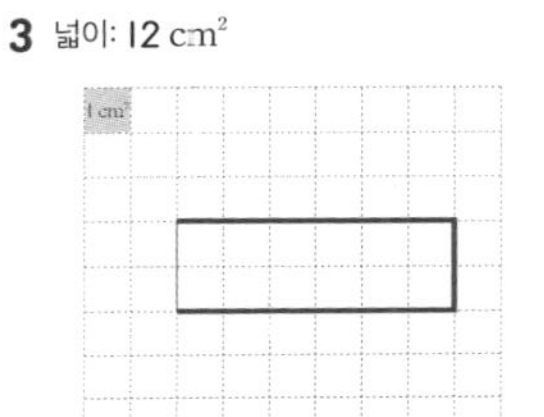

가로: $12 \div 2 = 6$

4 넓이: 12 cm²

가로: $12 \div 3 = 4$

5 넓이: 25 cm²

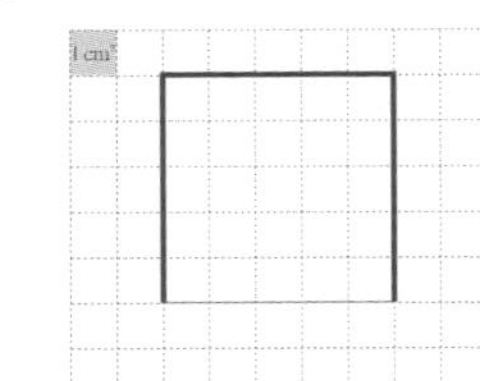

세로: $25 \div 5 = 5$

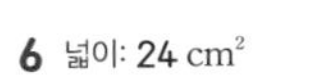

6 넓이: 24 cm²

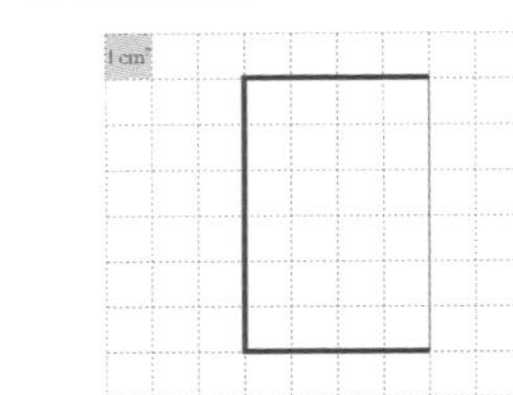

가로: $24 \div 6 = 4$

7 넓이: 40 cm²

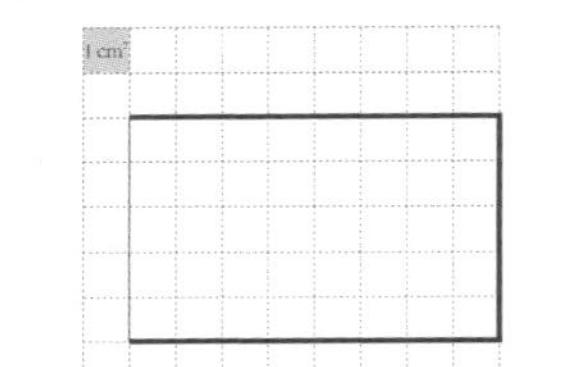

가로: $40 \div 5 = 8$

8 넓이: 42 cm²

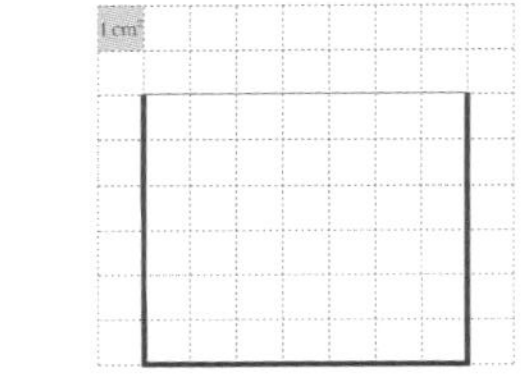

세로: $42 \div 7 = 6$

9 넓이: 27 cm²

가로: $27 \div 3 = 9$

10 넓이: 32 cm²

가로: $32 \div 8 = 4$

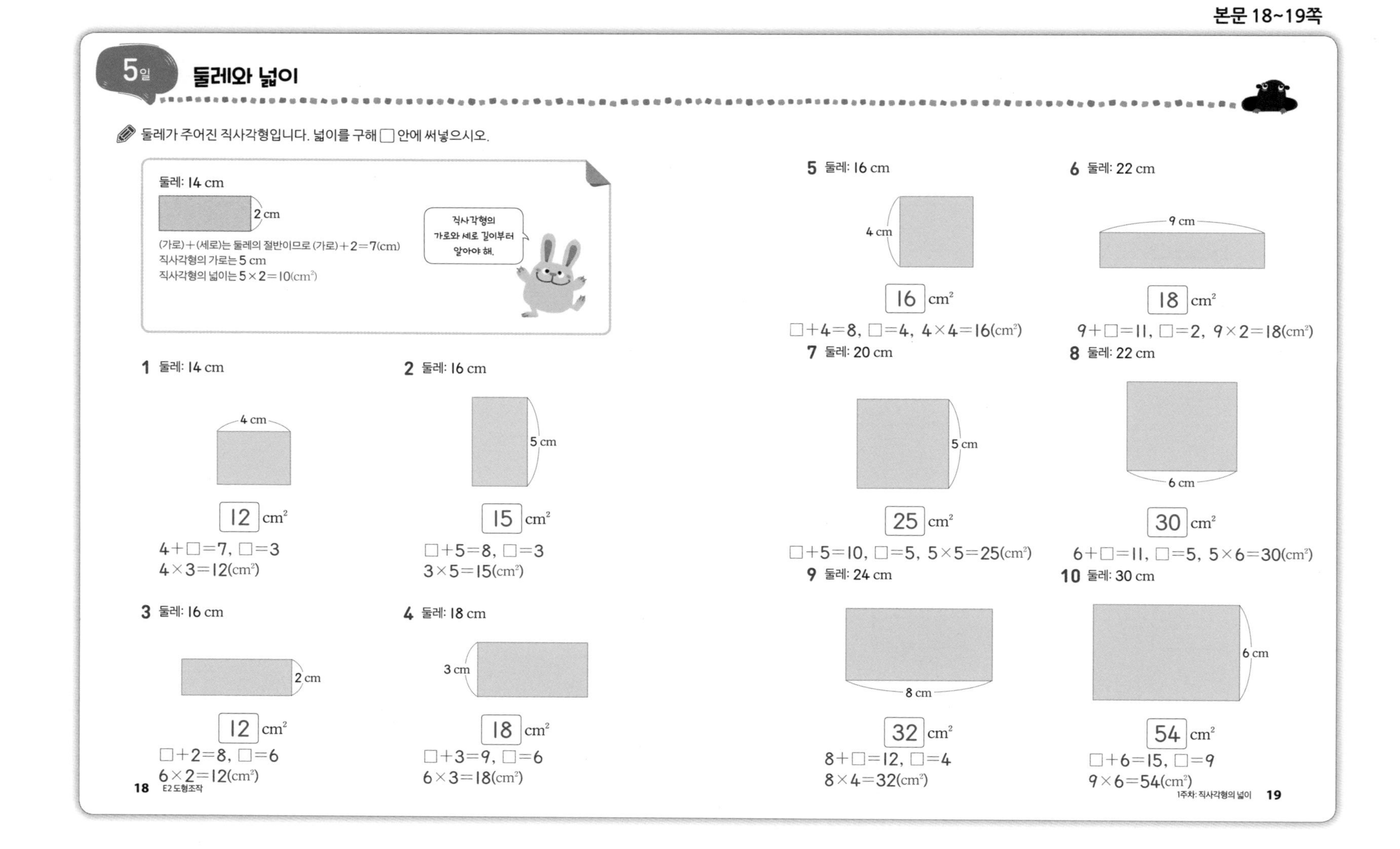

5일 둘레와 넓이

둘레가 주어진 직사각형입니다. 넓이를 구해 □ 안에 써넣으시오.

둘레: 14 cm

2 cm

(가로)+(세로)는 둘레의 절반이므로 (가로)+2=7(cm)
직사각형의 가로는 5 cm
직사각형의 넓이는 $5 \times 2 = 10(cm^2)$

직사각형의 가로와 세로 길이부터 알아야 해.

1 둘레: 14 cm

4 cm

12 cm^2

$4+□=7$, $□=3$
$4 \times 3 = 12(cm^2)$

2 둘레: 16 cm

5 cm

15 cm^2

$□+5=8$, $□=3$
$3 \times 5 = 15(cm^2)$

3 둘레: 16 cm

2 cm

12 cm^2

$□+2=8$, $□=6$
$6 \times 2 = 12(cm^2)$

4 둘레: 18 cm

3 cm

18 cm^2

$□+3=9$, $□=6$
$6 \times 3 = 18(cm^2)$

5 둘레: 16 cm

4 cm

16 cm^2

$□+4=8$, $□=4$, $4 \times 4 = 16(cm^2)$

6 둘레: 22 cm

9 cm

18 cm^2

$9+□=11$, $□=2$, $9 \times 2 = 18(cm^2)$

7 둘레: 20 cm

5 cm

25 cm^2

$□+5=10$, $□=5$, $5 \times 5 = 25(cm^2)$

8 둘레: 22 cm

6 cm

30 cm^2

$6+□=11$, $□=5$, $5 \times 6 = 30(cm^2)$

9 둘레: 24 cm

8 cm

32 cm^2

$8+□=12$, $□=4$
$8 \times 4 = 32(cm^2)$

10 둘레: 30 cm

6 cm

54 cm^2

$□+6=15$, $□=9$
$9 \times 6 = 54(cm^2)$

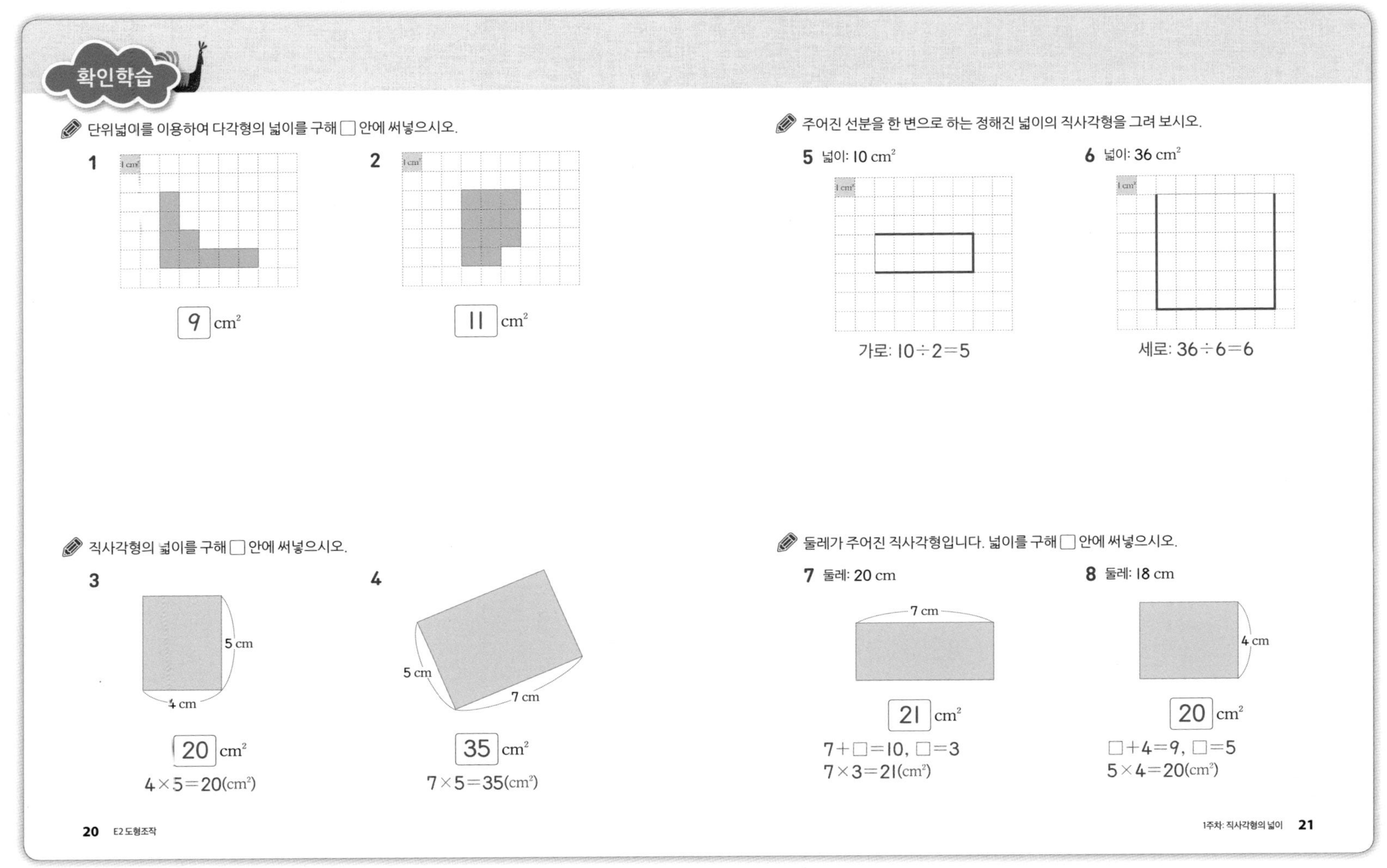

확인학습

단위넓이를 이용하여 다각형의 넓이를 구해 □ 안에 써넣으시오.
1
1 cm²
9 cm²
2
1 cm²
11 cm²

직사각형의 넓이를 구해 □ 안에 써넣으시오.
3
5 cm
4 cm
20 cm²
4×5=20(cm²)
4
5 cm
7 cm
35 cm²
7×5=35(cm²)

주어진 선분을 한 변으로 하는 정해진 넓이의 직사각형을 그려 보시오.
5 넓이: 10 cm²
1 cm²
가로: 10÷2=5
6 넓이: 36 cm²
1 cm²
세로: 36÷6=6

둘레가 주어진 직사각형입니다. 넓이를 구해 □ 안에 써넣으시오.
7 둘레: 20 cm
7 cm
21 cm²
7+□=10, □=3
7×3=21(cm²)
8 둘레: 18 cm
4 cm
20 cm²
□+4=9, □=5
5×4=20(cm²)

20 E2 도형조작
1주차: 직사각형의 넓이 21

1일 단위넓이와 평행사변형

단위넓이를 이용하여 평행사변형의 넓이를 구해 □ 안에 써넣으시오.

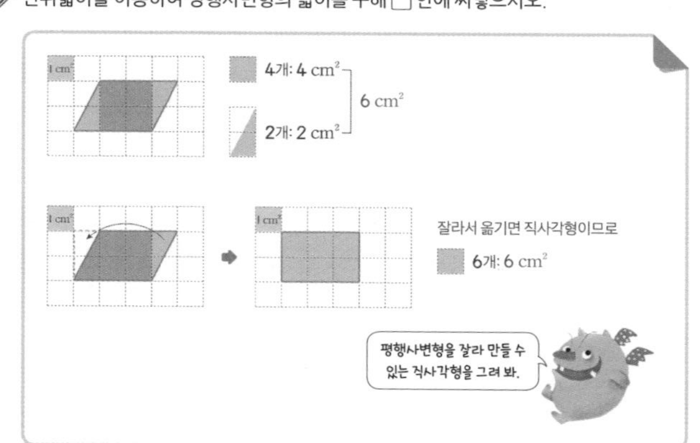

1 cm²
4개: 4 cm²
2개: 2 cm²
6 cm²
잘라서 옮기면 직사각형이므로
6개: 6 cm²
평행사변형을 잘라 만들 수 있는 직사각형을 그려 봐.

1 12 cm²

$3\times4=12(\text{cm}^2)$

2 12 cm²

$6\times2=12(\text{cm}^2)$

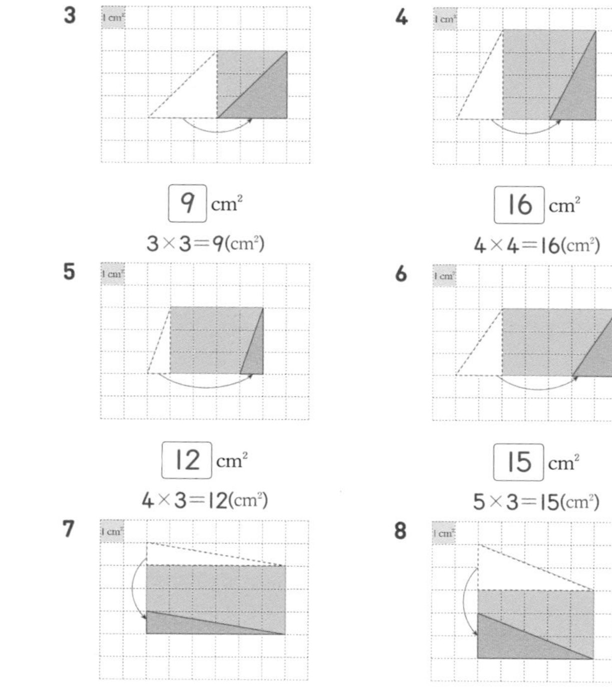

3 9 cm²

$3\times3=9(\text{cm}^2)$

4 16 cm²

$4\times4=16(\text{cm}^2)$

5 12 cm²

$4\times3=12(\text{cm}^2)$

6 15 cm²

$5\times3=15(\text{cm}^2)$

7 18 cm²

$6\times3=18(\text{cm}^2)$

8 15 cm²

$5\times3=15(\text{cm}^2)$

2일 평행사변형의 넓이

평행사변형의 넓이를 구해 □ 안에 써넣으시오.

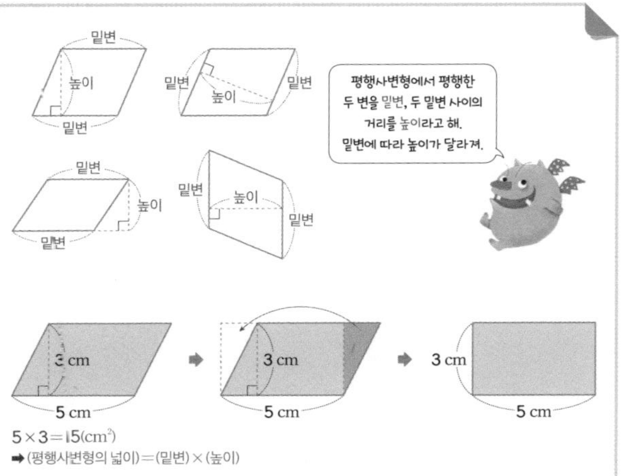

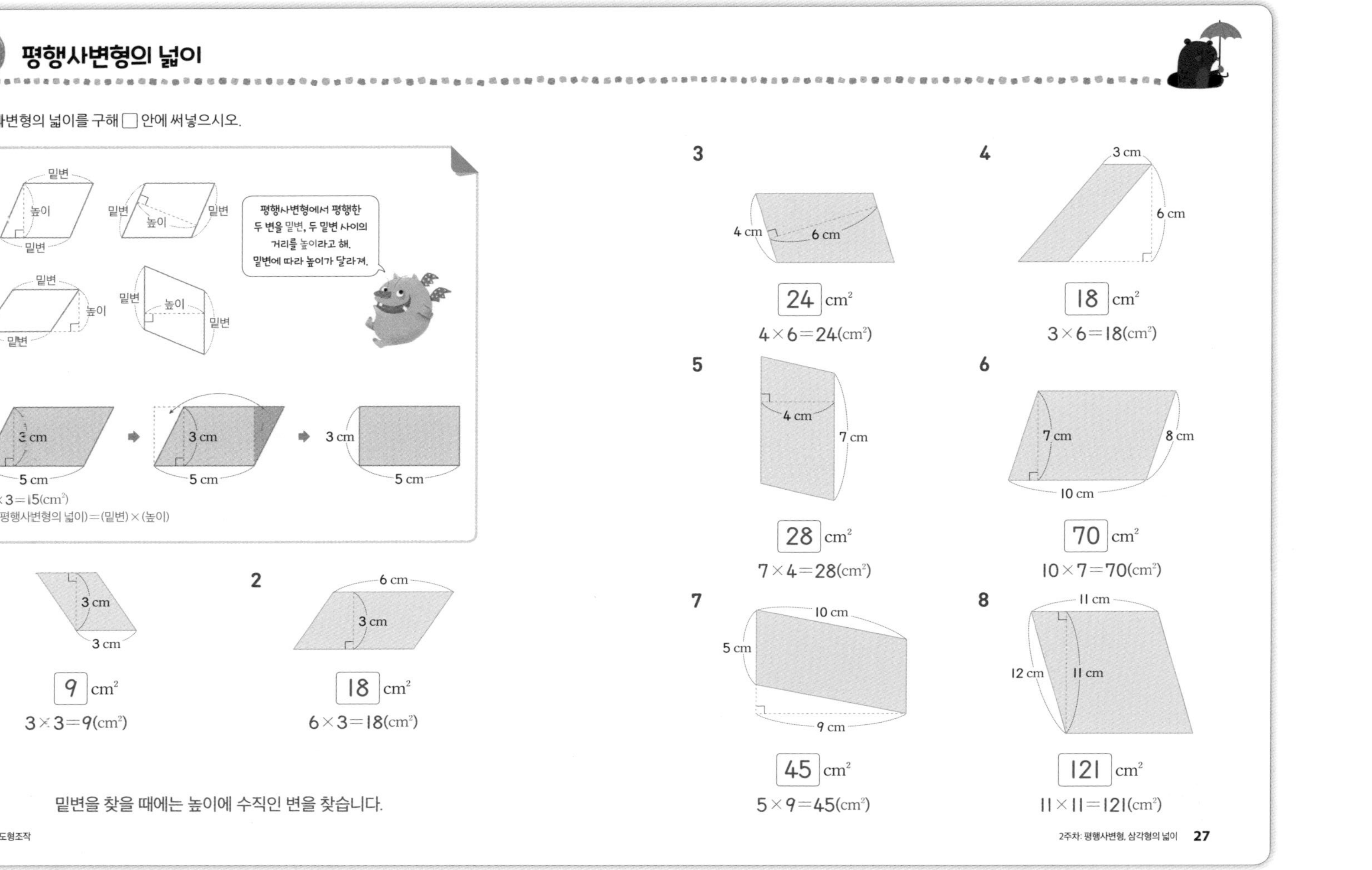

$5 \times 3 = 15(cm^2)$
➡ (평행사변형의 넓이)=(밑변)×(높이)

1

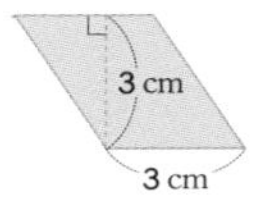

[9] cm^2

$3 \times 3 = 9(cm^2)$

2

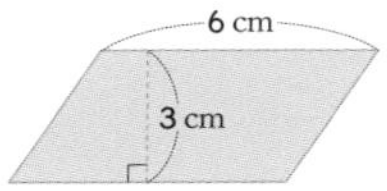

[18] cm^2

$6 \times 3 = 18(cm^2)$

밑변을 찾을 때에는 높이에 수직인 변을 찾습니다.

3

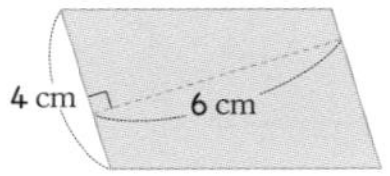

[24] cm^2

$4 \times 6 = 24(cm^2)$

4

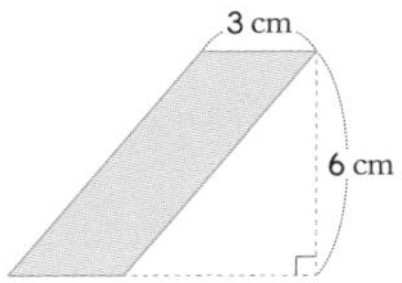

[18] cm^2

$3 \times 6 = 18(cm^2)$

5

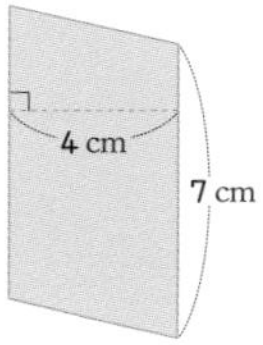

[28] cm^2

$7 \times 4 = 28(cm^2)$

6

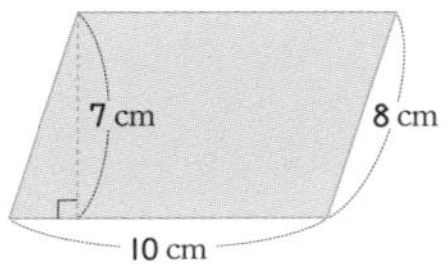

[70] cm^2

$10 \times 7 = 70(cm^2)$

7

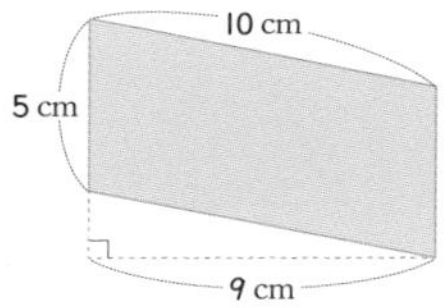

[45] cm^2

$5 \times 9 = 45(cm^2)$

8

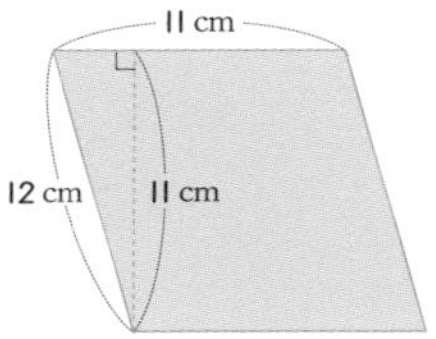

[121] cm^2

평행사변형에서 평행한 두 변을 밑변, 두 밑변 사이의 거리를 높이라고 해. 밑변에 따라 높이가 달라져.
3 cm

$11 \times 11 = 121(cm^2)$

3일 평행사변형을 이용한 넓이

점선을 한 변으로 하는 합동인 삼각형을 그려 평행사변형을 만들고, 평행사변형과 삼각형의 넓이를 각각 구해 □ 안에 써넣으시오.

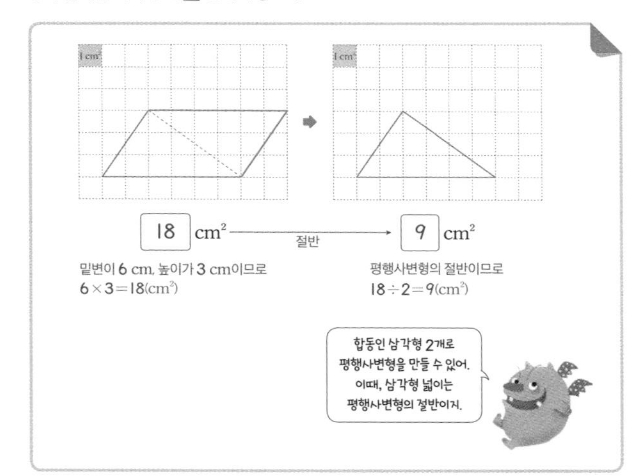

1 cm²
18 cm² → 절반 → 9 cm²
밑변이 6 cm, 높이가 3 cm이므로
6×3=18(cm²)
평행사변형의 절반이므로
18÷2=9(cm²)
합동인 삼각형 2개로
평행사변형을 만들 수 있어.
이때, 삼각형 넓이는
평행사변형의 절반이지.

1 12 cm² → 6 cm²

$3 \times 4 = 12(cm^2)$

$12 \div 2 = 6(cm^2)$

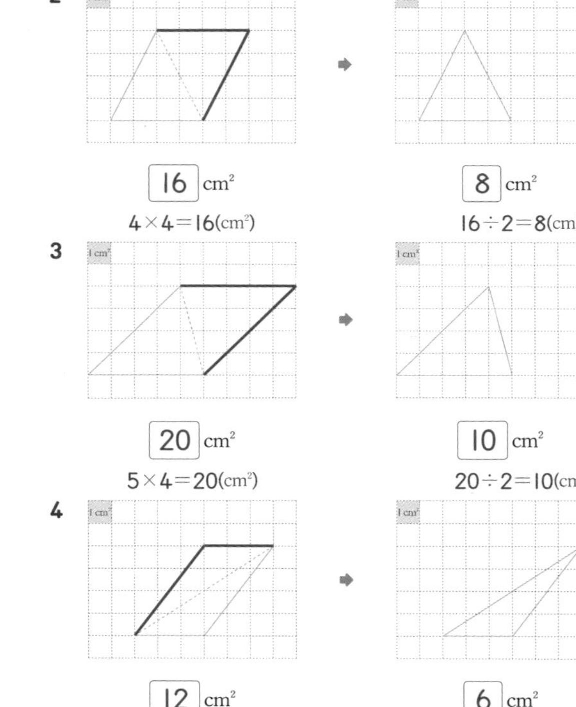
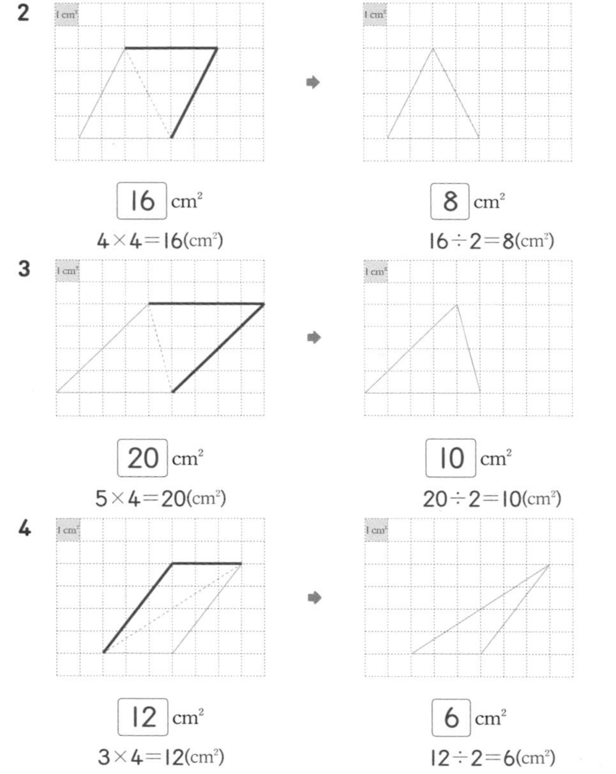

2 16 cm² → 8 cm²

$4 \times 4 = 16(cm^2)$

$16 \div 2 = 8(cm^2)$

3 20 cm² → 10 cm²

$5 \times 4 = 20(cm^2)$

$20 \div 2 = 10(cm^2)$

4 12 cm² → 6 cm²

$3 \times 4 = 12(cm^2)$

$12 \div 2 = 6(cm^2)$

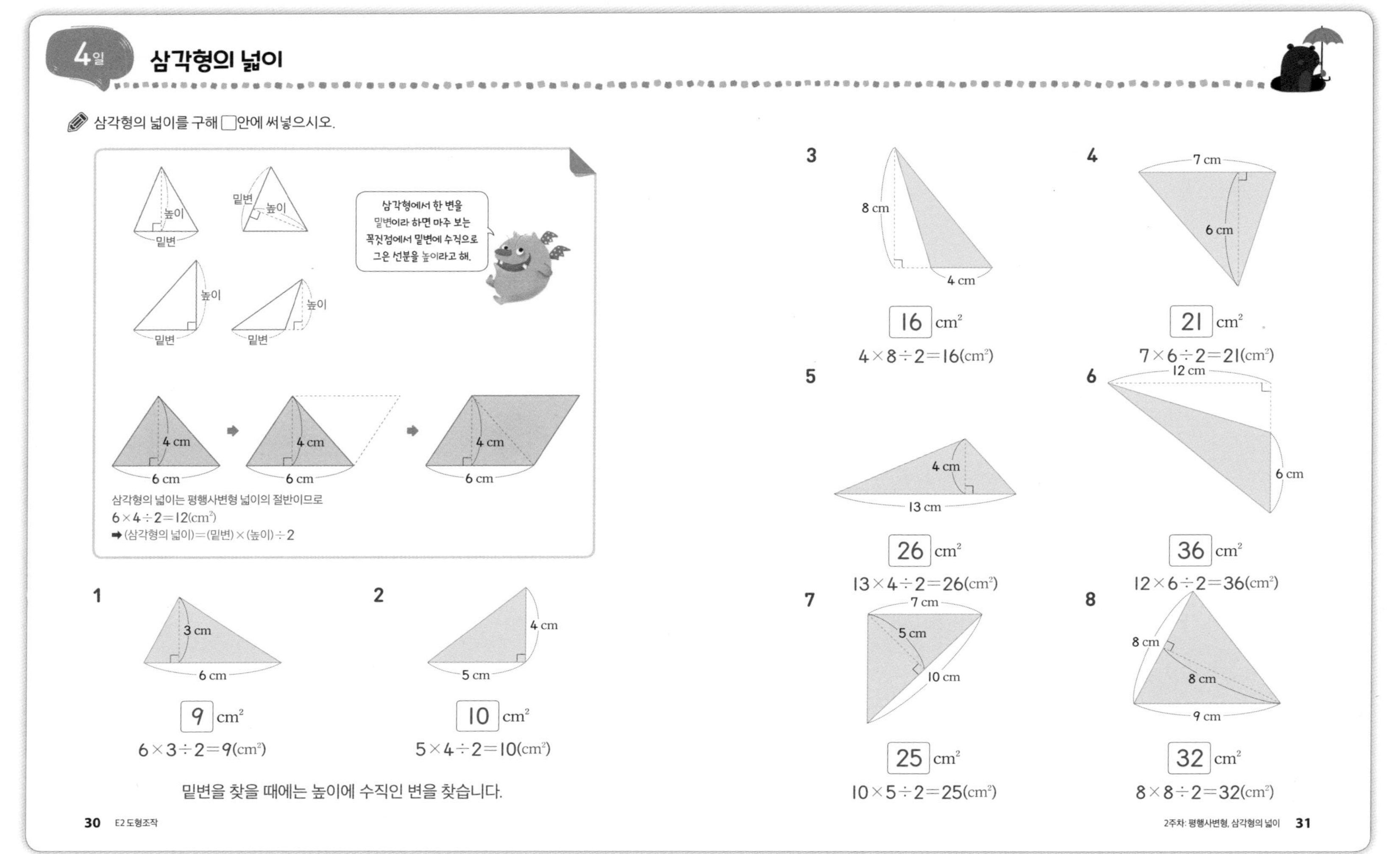
4일
삼각형의 넓이
삼각형의 넓이를 구해 □안에 써넣으시오.
높이
밑변
밑변
높이
높이
밑변
높이
밑변
삼각형에서 한 변을 밑변이라 하면 마주 보는 꼭짓점에서 밑변에 수직으로 그은 선분을 높이라고 해.
4 cm
6 cm
4 cm
6 cm
4 cm
6 cm
삼각형의 넓이는 평행사변형 넓이의 절반이므로
6×4÷2=12(cm²)
➡ (삼각형의 넓이)=(밑변)×(높이)÷2
1
3 cm
6 cm
9 cm²
6×3÷2=9(cm²)
2
4 cm
5 cm
10 cm²
5×4÷2=10(cm²)
밑변을 찾을 때에는 높이에 수직인 변을 찾습니다.
3
8 cm
4 cm
16 cm²
4×8÷2=16(cm²)
4
7 cm
6 cm
21 cm²
7×6÷2=21(cm²)
5
4 cm
13 cm
26 cm²
13×4÷2=26(cm²)
6
12 cm
6 cm
36 cm²
12×6÷2=36(cm²)
7
7 cm
5 cm
10 cm
25 cm²
10×5÷2=25(cm²)
8
8 cm
8 cm
9 cm
32 cm²
8×8÷2=32(cm²)
30 E2 도형조작
2주차: 평행사변형, 삼각형의 넓이 31

5일 길이 구하기

평행사변형과 삼각형입니다. □ 안에 알맞은 수를 써넣으시오.

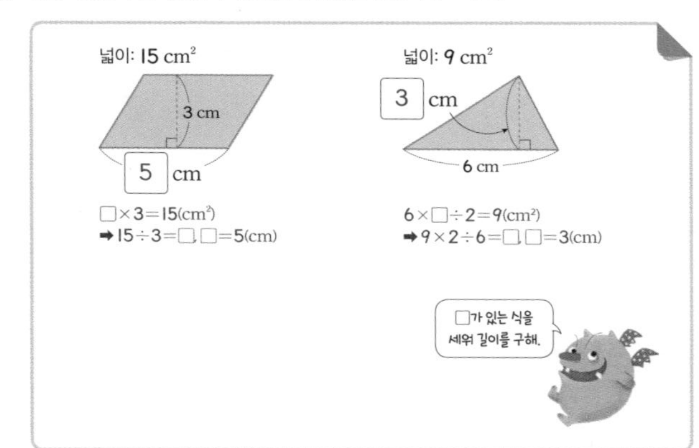

□×3=15(cm²)
➡ 15÷3=□, □=5(cm)

6×□÷2=9(cm²)
➡ 9×2÷6=□, □=3(cm)

1 넓이: 28 cm²

7 cm, 4 cm

$28 \div 4 = 7$(cm)

2 넓이: 60 cm²

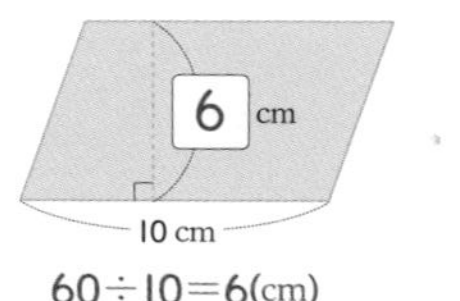

$60 \div 10 = 6$(cm)

넓이를 아는 삼각형의 밑변(높이)를 구할 때에는 넓이를 2배 한 후 높이(밑변)으로 나눕니다.

3 넓이: 18 cm²

3 cm, 6 cm

$18 \div 6 = 3$(cm)

4 넓이: 104 cm²

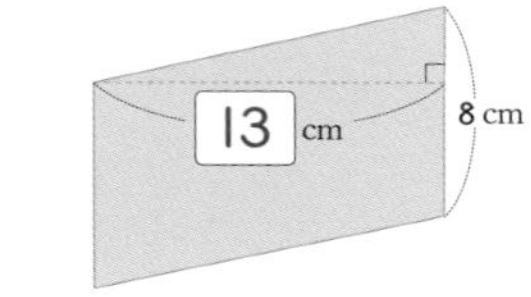

$104 \div 8 = 13$(cm)

5 넓이: 21 cm²

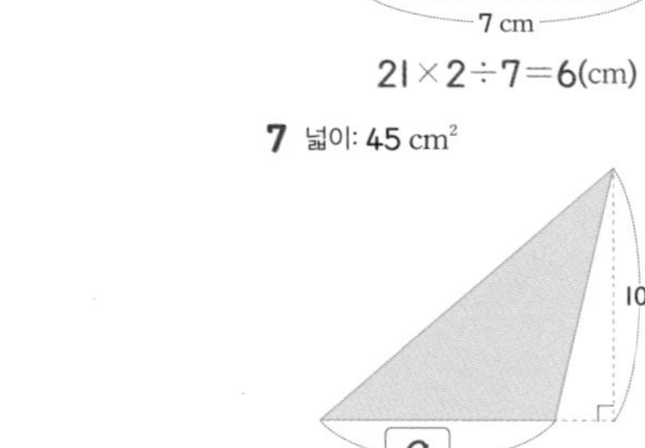

$21 \times 2 \div 7 = 6$(cm)

6 넓이: 18 cm²

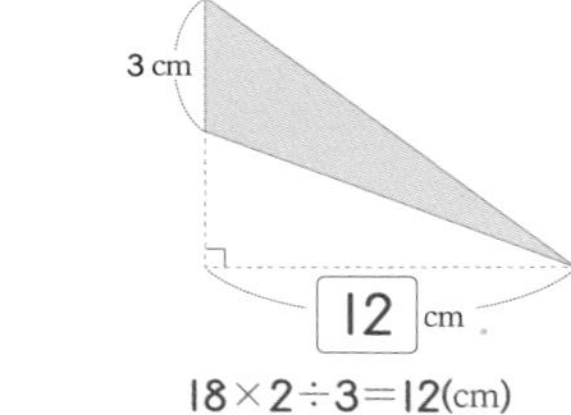

$18 \times 2 \div 3 = 12$(cm)

7 넓이: 45 cm²

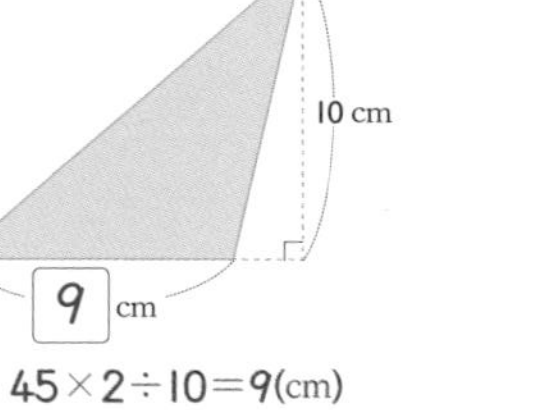

$45 \times 2 \div 10 = 9$(cm)

8 넓이: 33 cm²

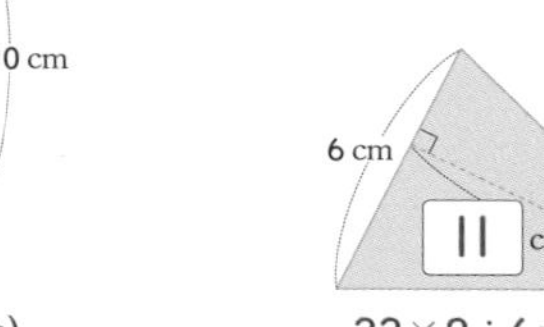

$33 \times 2 \div 6 = 11$(cm)

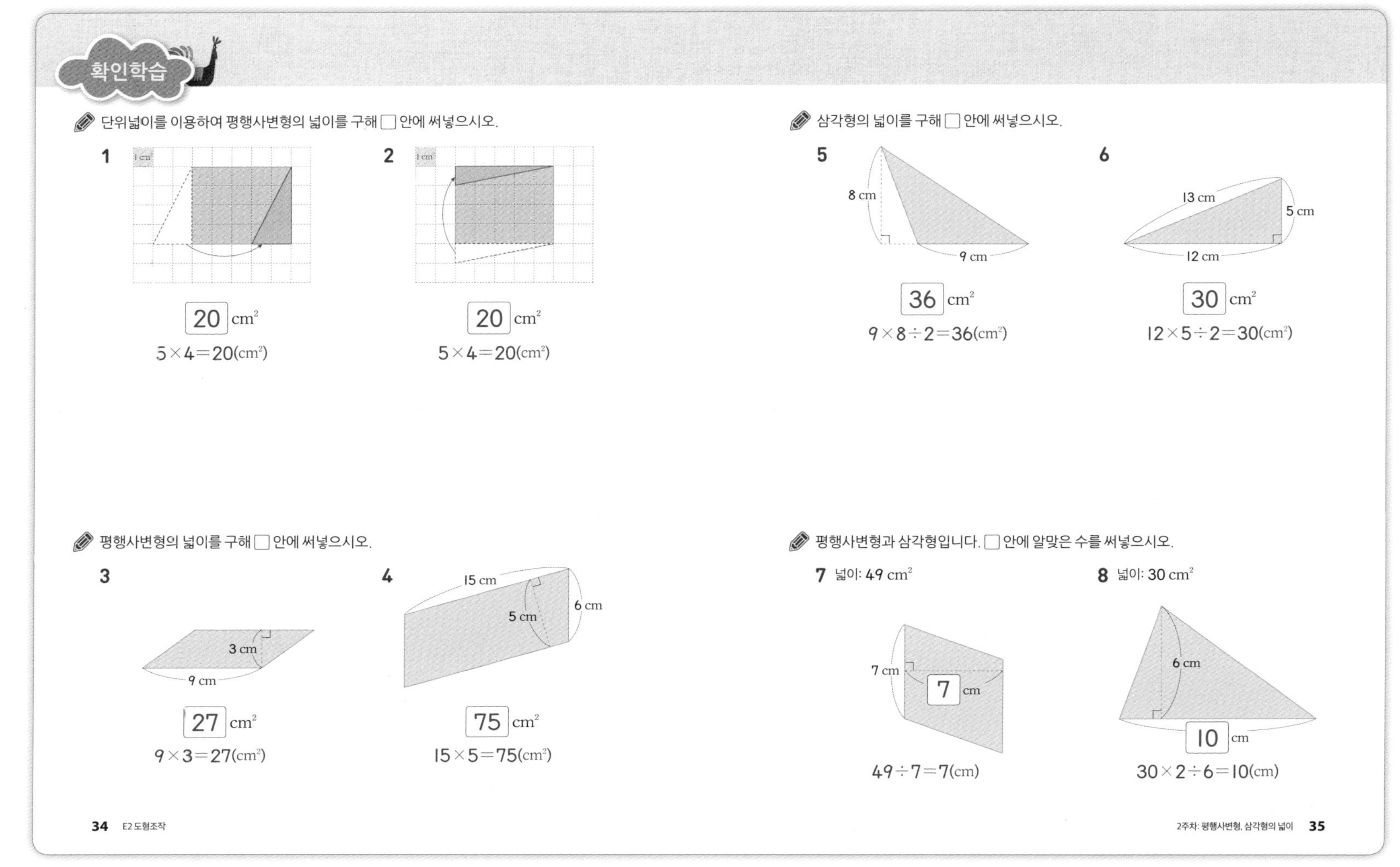

확인학습

단위넓이를 이용하여 평행사변형의 넓이를 구해 □ 안에 써넣으시오.

1 20 cm²

$5 \times 4 = 20(cm^2)$

2 20 cm²

$5 \times 4 = 20(cm^2)$

평행사변형의 넓이를 구해 □ 안에 써넣으시오.

3 27 cm²

$9 \times 3 = 27(cm^2)$

4 75 cm²

$15 \times 5 = 75(cm^2)$

삼각형의 넓이를 구해 □ 안에 써넣으시오.

5 36 cm²

$9 \times 8 \div 2 = 36(cm^2)$

6 30 cm²

$12 \times 5 \div 2 = 30(cm^2)$

평행사변형과 삼각형입니다. □ 안에 알맞은 수를 써넣으시오.

7 넓이: 49 cm²

7 cm

$49 \div 7 = 7(cm)$

8 넓이: 30 cm²

10 cm

$30 \times 2 \div 6 = 10(cm)$

1일 평행사변형을 이용한 넓이

점선을 한 변으로 하는 합동인 사다리꼴을 그려 평행사변형을 만들고, 평행사변형과 사다리꼴의 넓이를 각각 구해 □ 안에 써넣으시오.

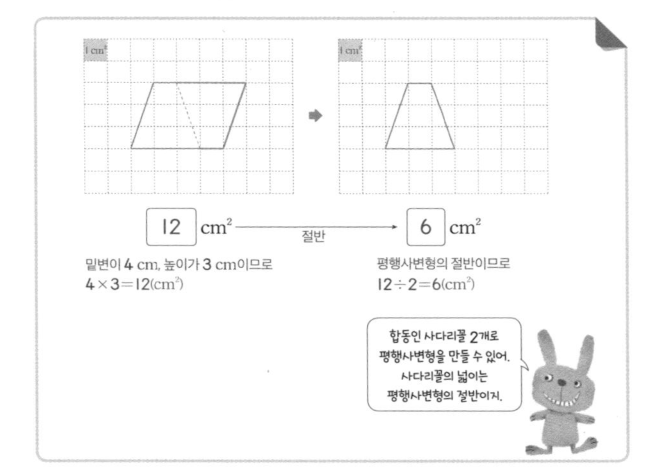

합동인 사다리꼴 2개로 평행사변형을 만들 수 있어. 사다리꼴의 넓이는 평행사변형의 절반이지.

12 cm² → (절반) 6 cm²

밑변이 4 cm, 높이가 3 cm이므로 $4 \times 3 = 12(cm^2)$

평행사변형의 절반이므로 $12 \div 2 = 6(cm^2)$

1

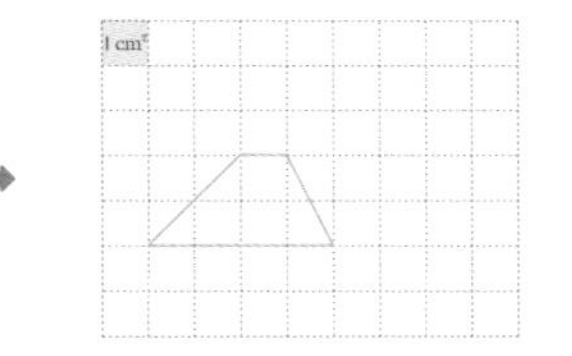
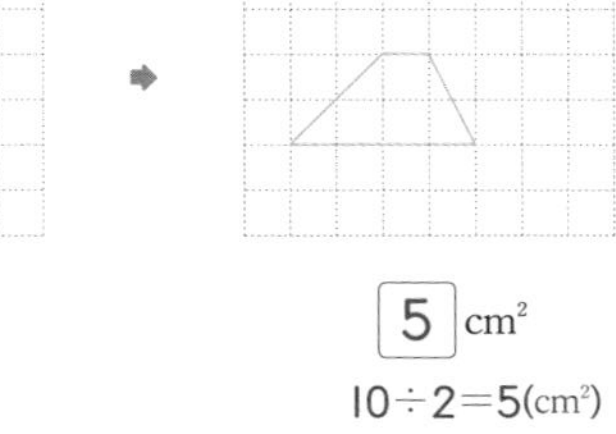

10 cm² → 5 cm²

$5 \times 2 = 10(cm^2)$

$10 \div 2 = 5(cm^2)$

2

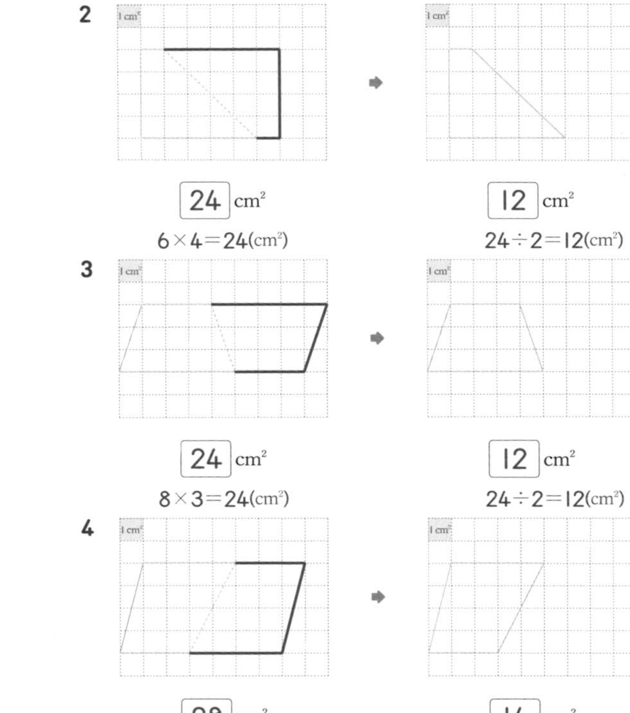

24 cm² → 12 cm²

$6 \times 4 = 24(cm^2)$

$24 \div 2 = 12(cm^2)$

3

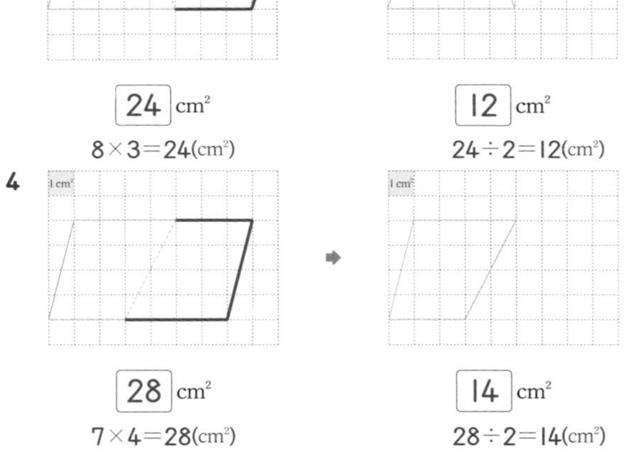

24 cm² → 12 cm²

$8 \times 3 = 24(cm^2)$

$24 \div 2 = 12(cm^2)$

4

28 cm² → 14 cm²

$7 \times 4 = 28(cm^2)$

$28 \div 2 = 14(cm^2)$

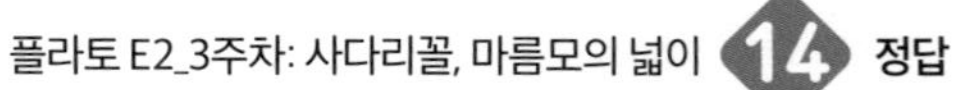

2일 사다리꼴의 넓이

사다리꼴의 넓이를 구해 □ 안에 써넣으시오.

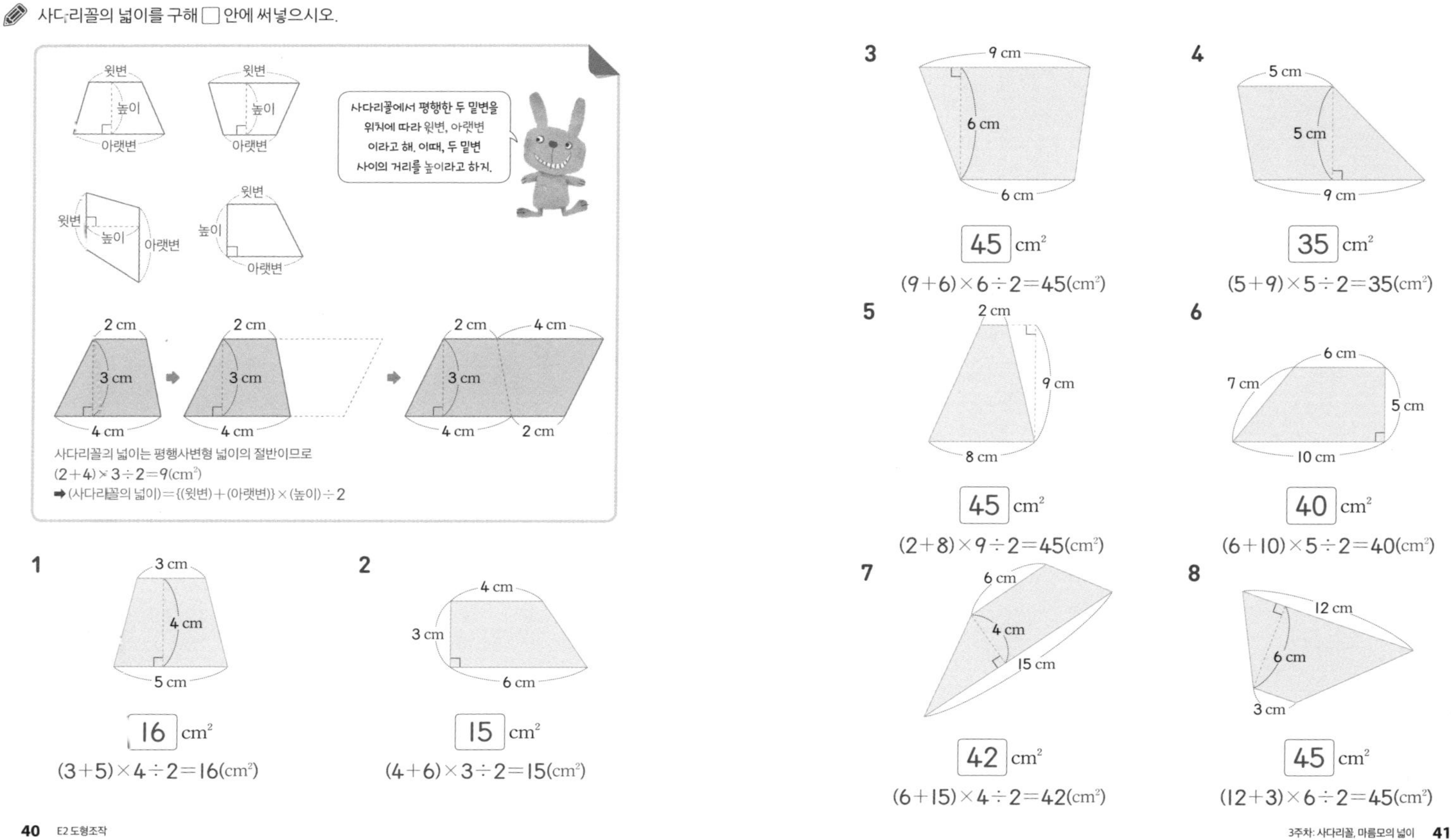

1 16 cm²

$(3+5)\times4\div2=16(cm^2)$

2 15 cm²

$(4+6)\times3\div2=15(cm^2)$

3 45 cm²

$(9+6)\times6\div2=45(cm^2)$

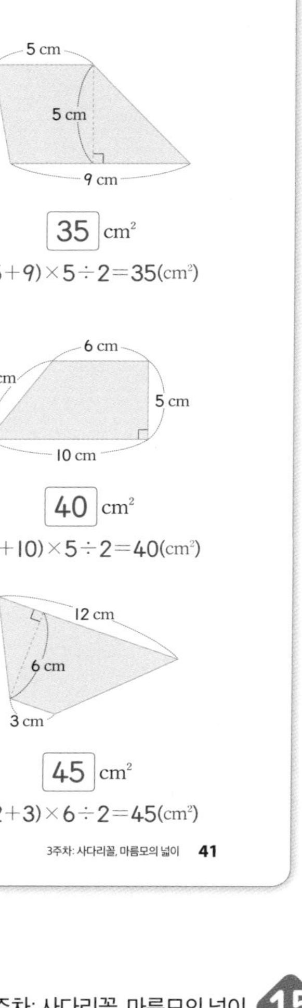

4 35 cm²

$(5+9)\times5\div2=35(cm^2)$

5 45 cm²

$(2+8)\times9\div2=45(cm^2)$

6 40 cm²

$(6+10)\times5\div2=40(cm^2)$

7 42 cm²

$(6+15)\times4\div2=42(cm^2)$

8 45 cm²

$(12+3)\times6\div2=45(cm^2)$

3일 마름모의 넓이

마름모의 넓이를 구해 □ 안에 써넣으시오.

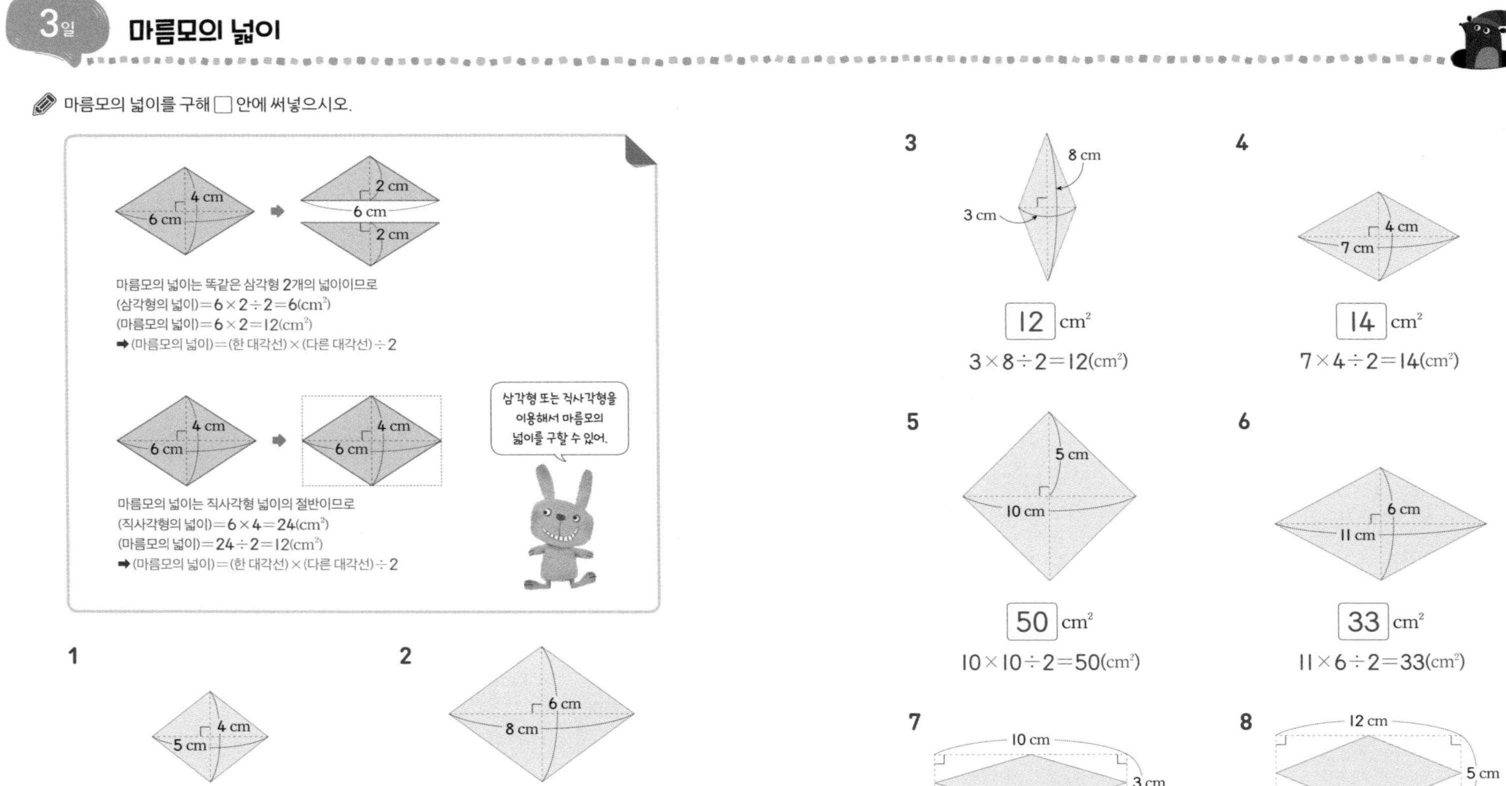

4 cm
6 cm
2 cm
6 cm
2 cm
마름모의 넓이는 똑같은 삼각형 2개의 넓이이므로
(삼각형의 넓이)=6×2÷2=6(cm²)
(마름모의 넓이)=6×2=12(cm²)
➡ (마름모의 넓이)=(한 대각선)×(다른 대각선)÷2
4 cm
6 cm
4 cm
6 cm
마름모의 넓이는 직사각형 넓이의 절반이므로
(직사각형의 넓이)=6×4=24(cm²)
(마름모의 넓이)=24÷2=12(cm²)
➡ (마름모의 넓이)=(한 대각선)×(다른 대각선)÷2
삼각형 또는 직사각형을 이용해서 마름모의 넓이를 구할 수 있어.
4 cm
5 cm
6 cm
8 cm

1 10 cm²

$5\times4\div2=10(cm^2)$

2 24 cm²

$8\times6\div2=24(cm^2)$

3 12 cm²

$3\times8\div2=12(cm^2)$

4 14 cm²

$7\times4\div2=14(cm^2)$

5 50 cm²

$10\times10\div2=50(cm^2)$

6 33 cm²

$11\times6\div2=33(cm^2)$

7 15 cm²

$10\times3\div2=15(cm^2)$

8 30 cm²

$12\times5\div2=30(cm^2)$

4일 길이 구하기

사다리꼴과 마름모입니다. □ 안에 알맞은 수를 써넣으시오.

넓이: 16 cm²

3 cm, 4 cm, 5 cm

(3+□)×4÷2=16(cm²)
➡ 16×2÷4=3+□, □=5(cm)

넓이: 12 cm²

4 cm, 6 cm

□×4÷2=12(cm²)
➡ 12×2÷4=□, □=6(cm)

구하려는 길이가 밑변인지 높이인지, 대각선인지, 대각선의 절반인지 살펴봐.

1 넓이: 24 cm²

2 cm, 6 cm, 6 cm

(□+6)×6÷2=24
24×2÷6=6+□, □=2(cm)

2 넓이: 35 cm²

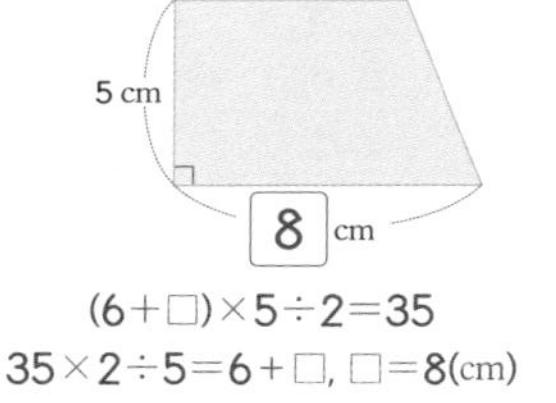
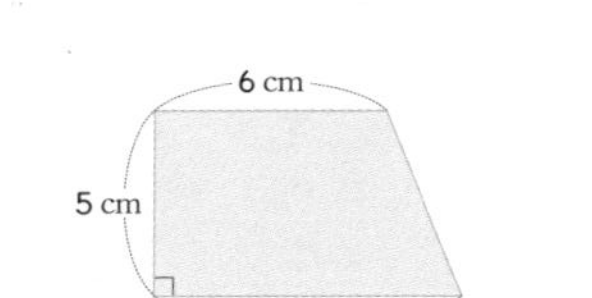

(6+□)×5÷2=35
35×2÷5=6+□, □=8(cm)

3 넓이: 30 cm²

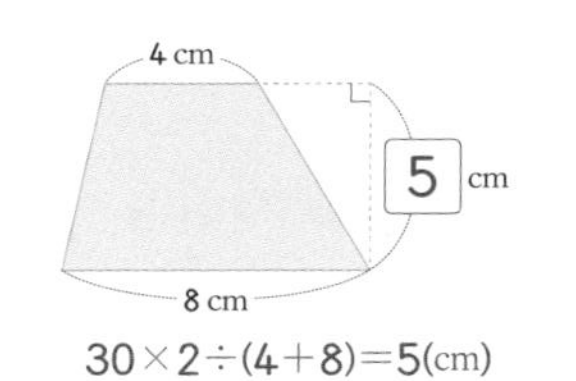

30×2÷(4+8)=5(cm)

4 넓이: 45 cm²

3 cm, 6 cm, 12 cm

45×2÷(3+12)=6(cm)

5 넓이: 21 cm²

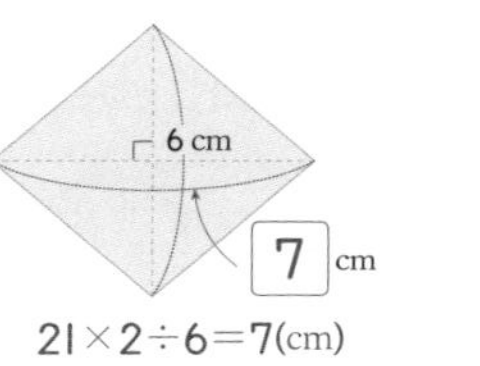

21×2÷6=7(cm)

6 넓이: 18 cm²

4 cm, 9 cm

18×2÷9=4(cm)

7 넓이: 25 cm²

5 cm, 5 cm

25×2÷5=10, 10÷2=5(cm)

8 넓이: 44 cm²

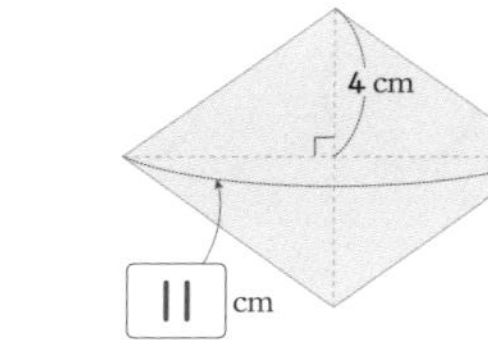

44×2÷8=11(cm)

5일 넓이가 같은 도형

넓이가 같은 도형 2개를 찾아 각각 ○표 하시오.

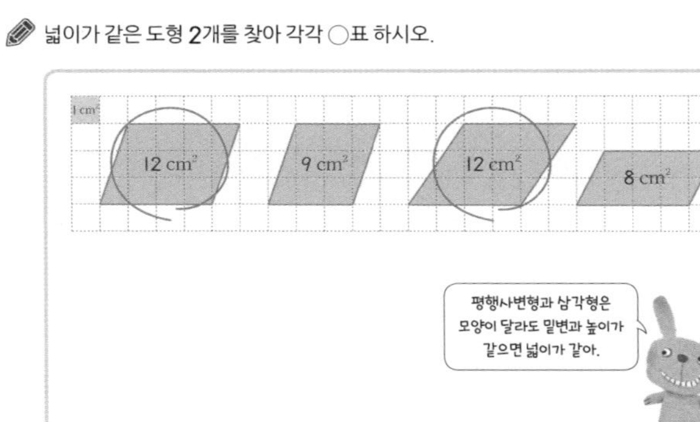
1 cm²
12 cm²
9 cm²
12 cm²
8 cm²
평행사변형과 삼각형은
모양이 달라도 밑변과 높이가
같으면 넓이가 같아.

1

밑변과 높이가 모두 같은 평행사변형 2개를 찾습니다.

2

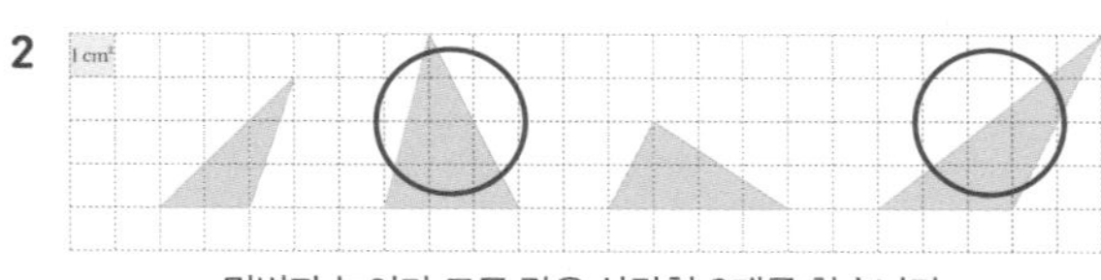

밑변과 높이가 모두 같은 삼각형 2개를 찾습니다.

3

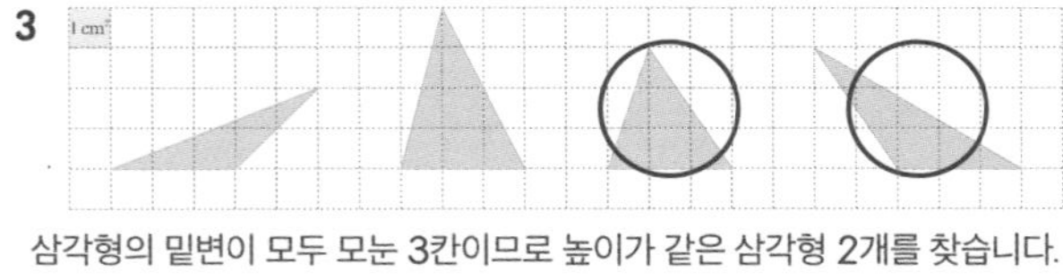

삼각형의 밑변이 모두 모눈 3칸이므로 높이가 같은 삼각형 2개를 찾습니다.

4

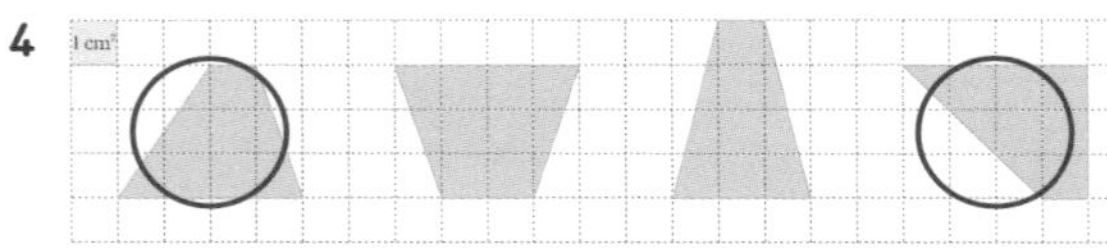

사다리꼴은 (윗변)+(아랫변)과 높이가 같으면 넓이가 같습니다.

5

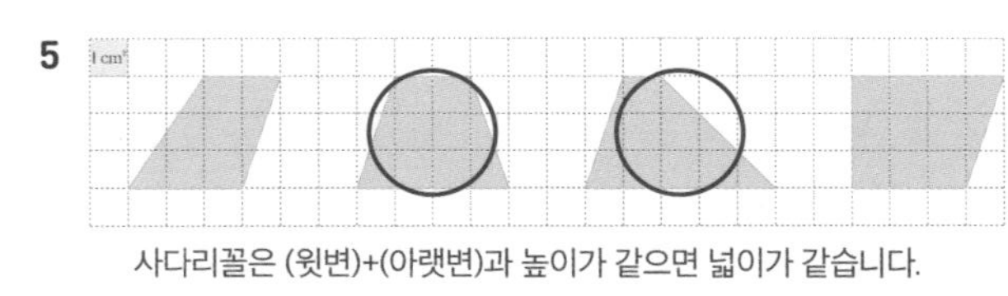

사다리꼴은 (윗변)+(아랫변)과 높이가 같으면 넓이가 같습니다.

6

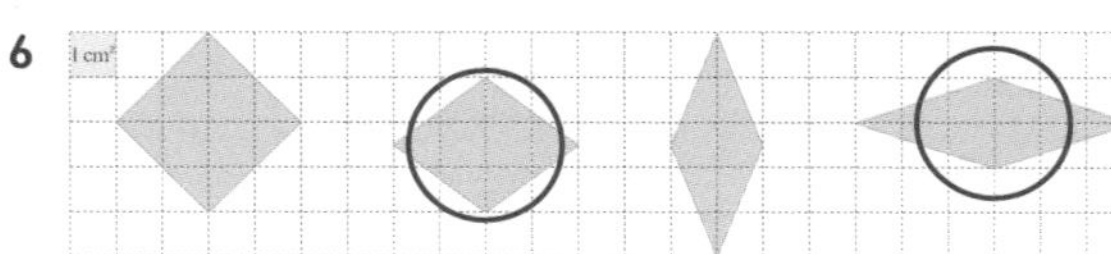

넓이가 같은 마름모를 찾을 때에는 ÷2를 하지 않고 두 대각선의 곱을 비교합니다.

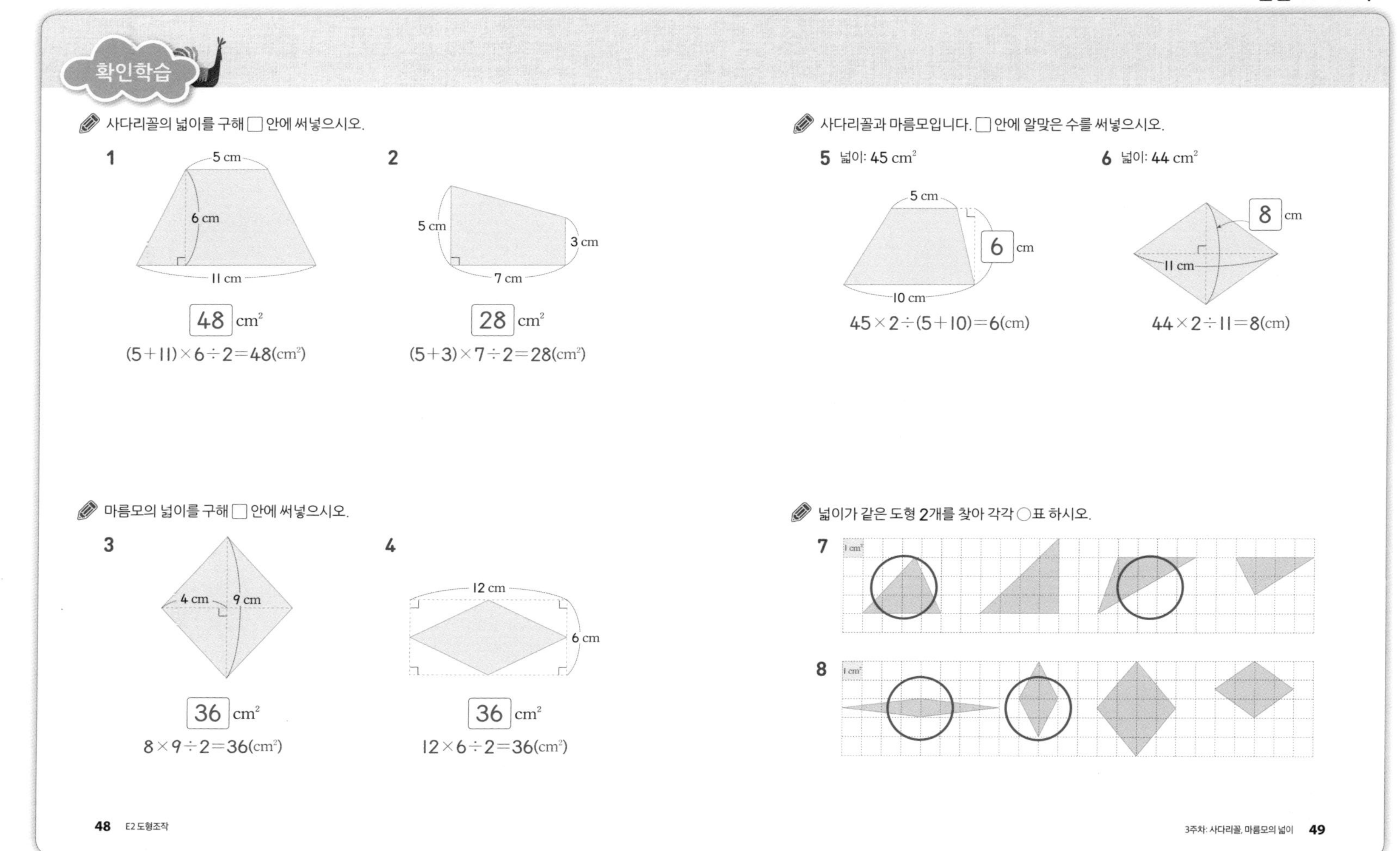

확인학습
사다리꼴의 넓이를 구해 □ 안에 써넣으시오.
1
5 cm
6 cm
11 cm
48 cm²
(5+11)×6÷2=48(cm²)
2
5 cm
3 cm
7 cm
28 cm²
(5+3)×7÷2=28(cm²)
마름모의 넓이를 구해 □ 안에 써넣으시오.
3
4 cm
9 cm
36 cm²
8×9÷2=36(cm²)
4
12 cm
6 cm
36 cm²
12×6÷2=36(cm²)
사다리꼴과 마름모입니다. □ 안에 알맞은 수를 써넣으시오.
5 넓이: 45 cm²
5 cm
6 cm
10 cm
45×2÷(5+10)=6(cm)
6 넓이: 44 cm²
8 cm
11 cm
44×2÷11=8(cm)
넓이가 같은 도형 2개를 찾아 각각 ○표 하시오.
7
1 cm²
8
1 cm²
48 E2 도형조작
3주차: 사다리꼴, 마름모의 넓이 49

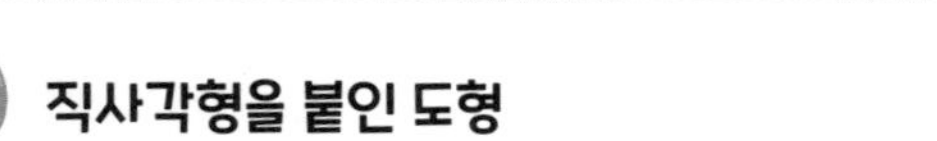

1일 직사각형을 붙인 도형

다각형의 넓이를 구해 □ 안에 써넣으시오.

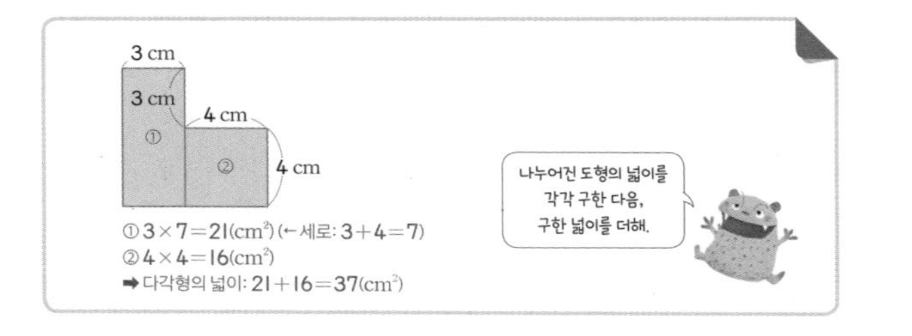

① $3\times7=21(cm^2)$ (←세로: $3+4=7$)
② $4\times4=16(cm^2)$
➡ 다각형의 넓이: $21+16=37(cm^2)$

1

4 cm, 3 cm, 2 cm, 8 cm

28 cm²

$4\times3=12$, $8\times2=16$
$12+16=28(cm^2)$

2

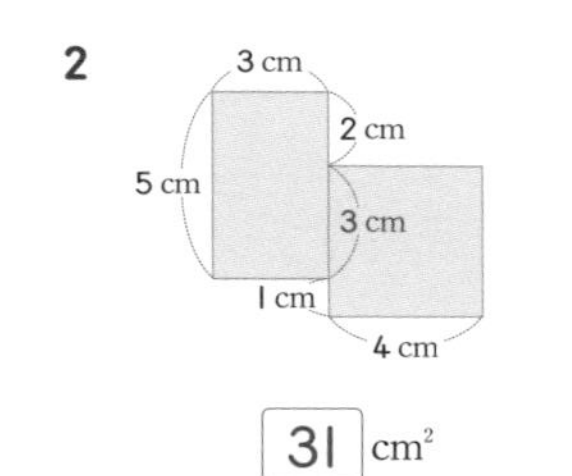

31 cm²

$3\times5=15$, $4\times4=16$
$15+16=31(cm^2)$

3

4 cm, 4 cm, 2 cm, 3 cm

34 cm²

$4\times4=16$, $6\times3=18$
$16+18=34(cm^2)$

4

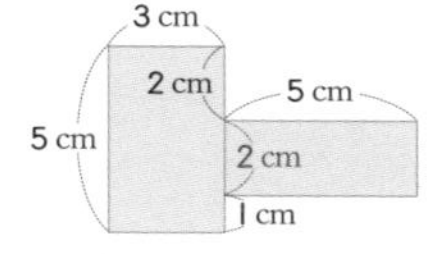
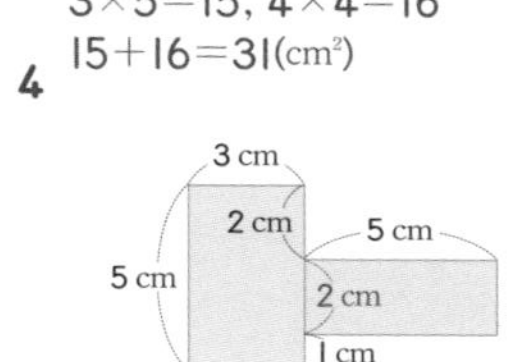
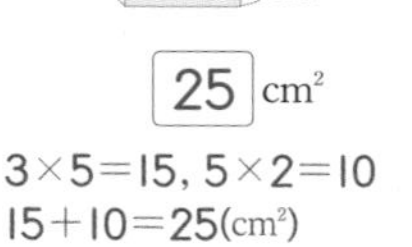

25 cm²

$3\times5=15$, $5\times2=10$
$15+10=25(cm^2)$

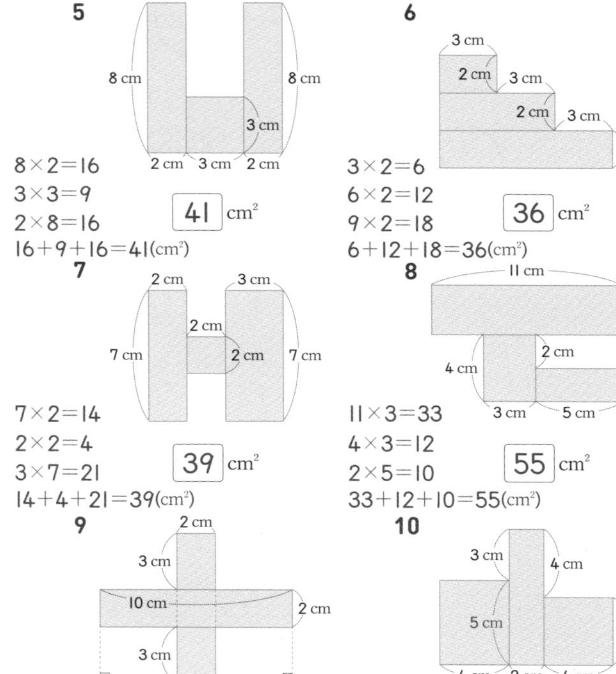

5

$8\times2=16$
$3\times3=9$
$2\times8=16$
$16+9+16=41(cm^2)$

41 cm²

6

$3\times2=6$
$6\times2=12$
$9\times2=18$
$6+12+18=36(cm^2)$

36 cm²

7

$7\times2=14$
$2\times2=4$
$3\times7=21$
$14+4+21=39(cm^2)$

39 cm²

8

$11\times3=33$
$4\times3=12$
$2\times5=10$
$33+12+10=55(cm^2)$

55 cm²

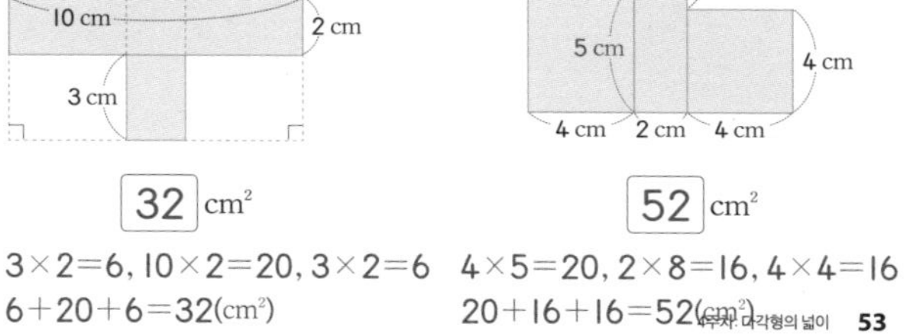

9

32 cm²

$3\times2=6$, $10\times2=20$, $3\times2=6$
$6+20+6=32(cm^2)$

10

52 cm²

$4\times5=20$, $2\times8=16$, $4\times4=16$
$20+16+16=52(cm^2)$

2일 직각으로 이루어진 도형

다각형의 넓이를 구해 □ 안에 써넣으시오.

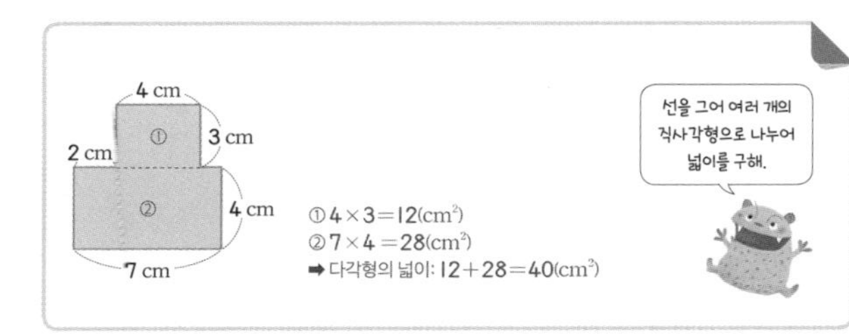

① $4 \times 3 = 12(cm^2)$
② $7 \times 4 = 28(cm^2)$
➡ 다각형의 넓이: $12 + 28 = 40(cm^2)$

1

39 cm^2

$5 \times 3 = 15$, $8 \times 3 = 24$
$15 + 24 = 39(cm^2)$

2

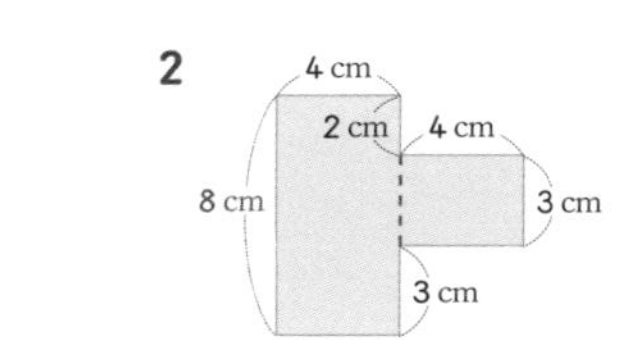

44 cm^2

$4 \times 8 = 32$, $4 \times 3 = 12$
$32 + 12 = 44(cm^2)$

3

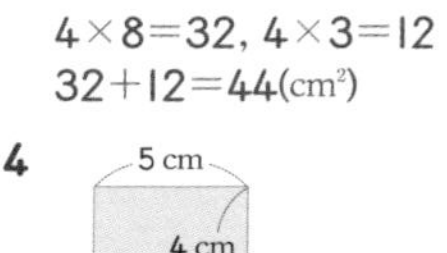

54 cm^2

$2 \times 3 = 6$, $12 \times 4 = 48$
$6 + 48 = 54(cm^2)$

4

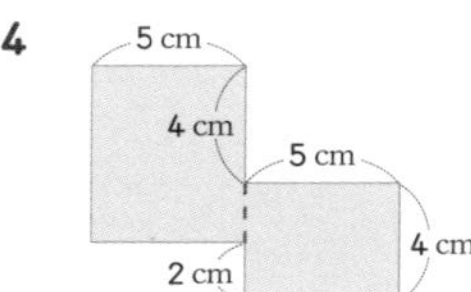

50 cm^2

$5 \times 6 = 30$, $5 \times 4 = 20$
$30 + 20 = 50(cm^2)$

5

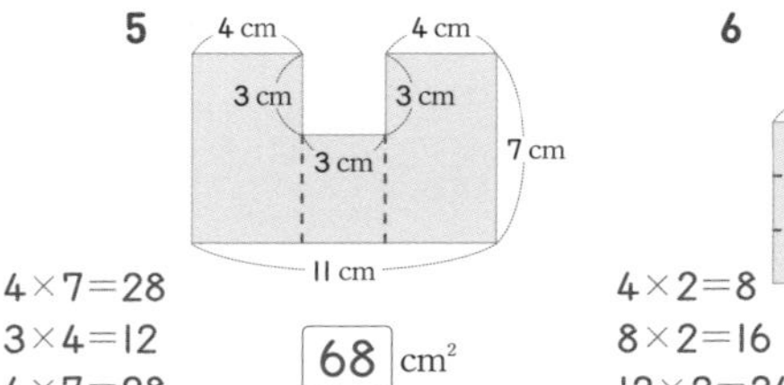

$4 \times 7 = 28$
$3 \times 4 = 12$
$4 \times 7 = 28$
$28 + 12 + 28 = 68(cm^2)$

68 cm^2

6

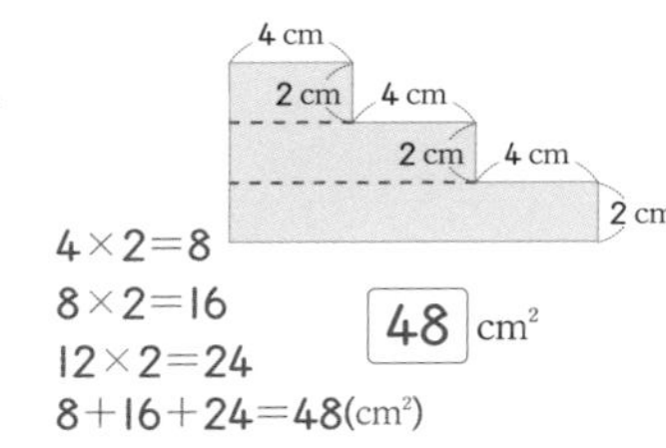

$4 \times 2 = 8$
$8 \times 2 = 16$
$12 \times 2 = 24$
$8 + 16 + 24 = 48(cm^2)$

48 cm^2

7

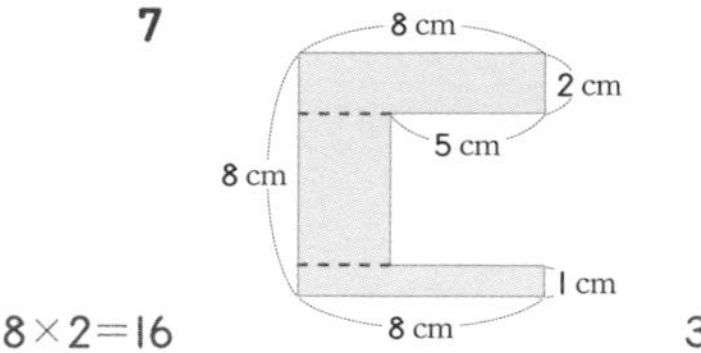

$8 \times 2 = 16$
$3 \times 5 = 15$
$8 \times 1 = 8$
$16 + 15 + 8 = 39(cm^2)$

39 cm^2

8

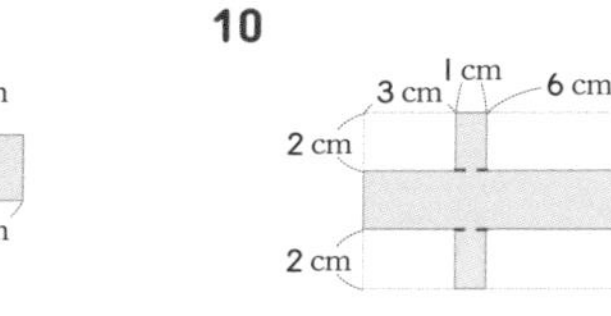

$3 \times 2 = 6$
$6 \times 2 = 12$
$10 \times 1 = 10$
$6 + 12 + 10 = 28(cm^2)$

28 cm^2

9

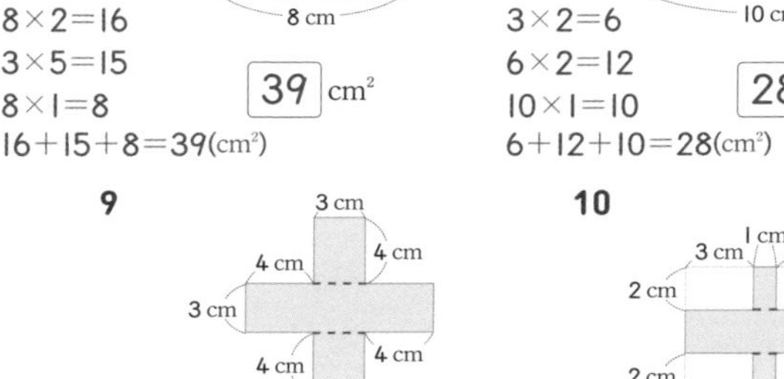

57 cm^2

$3 \times 4 = 12$, $11 \times 3 = 33$, $3 \times 4 = 12$
$12 + 33 + 12 = 57(cm^2)$

10

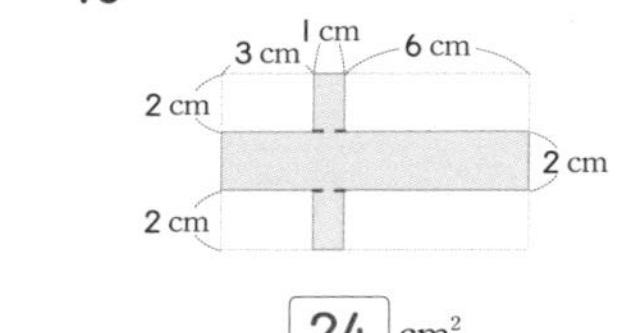

24 cm^2

$1 \times 2 = 2$, $10 \times 2 = 20$, $1 \times 2 = 2$
$2 + 20 + 2 = 24(cm^2)$

3일 다각형을 붙인 도형

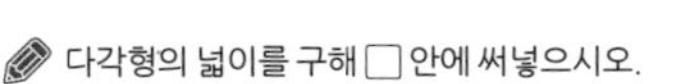

다각형의 넓이를 구해 □ 안에 써넣으시오.

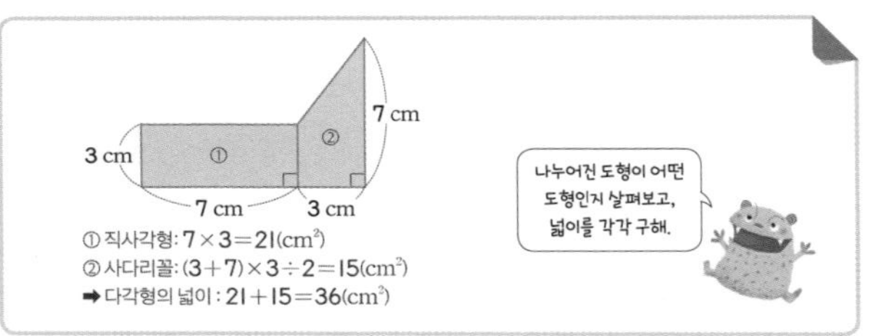

① 직사각형: $7 \times 3 = 21(cm^2)$
② 사다리꼴: $(3+7) \times 3 \div 2 = 15(cm^2)$
➡ 다각형의 넓이: $21 + 15 = 36(cm^2)$

1

21 cm^2

$7 \times 2 \div 2 = 7$, $7 \times 4 \div 2 = 14$
$7 + 14 = 21(cm^2)$

2

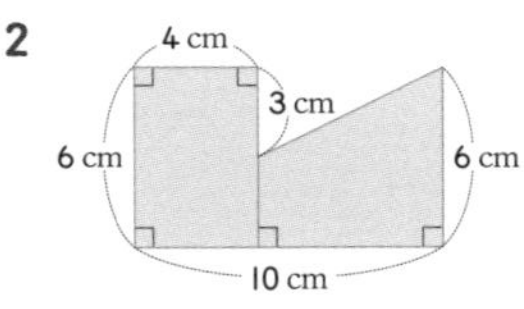

51 cm^2

$4 \times 6 = 24$, $(3+6) \times 6 \div 2 = 27$
$24 + 27 = 51(cm^2)$

3

42 cm^2

$6 \times 4 \div 2 = 12$, $(6+9) \times 4 \div 2 = 30$
$12 + 30 = 42(cm^2)$

4

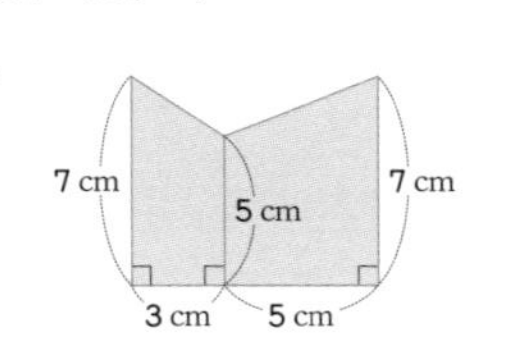

48 cm^2

$(7+5) \times 3 \div 2 = 18$, $(7+5) \times 5 \div 2 = 30$
$18 + 30 = 48(cm^2)$

5

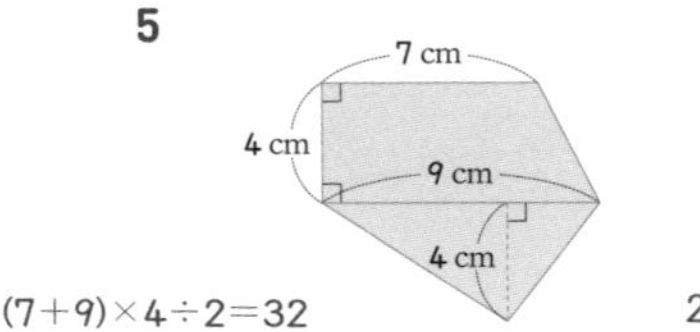

$(7+9) \times 4 \div 2 = 32$
$9 \times 4 \div 2 = 18$
$32 + 18 = 50(cm^2)$

50 cm^2

6

$2 \times 5 \div 2 = 5$
$(8+6) \times 3 \div 2 = 21$
$5 + 21 = 26(cm^2)$

26 cm^2

7

$(4+9) \times 2 \div 2 = 13$
$9 \times 4 = 36$
$13 + 36 + 13 = 62(cm^2)$

62 cm^2

8

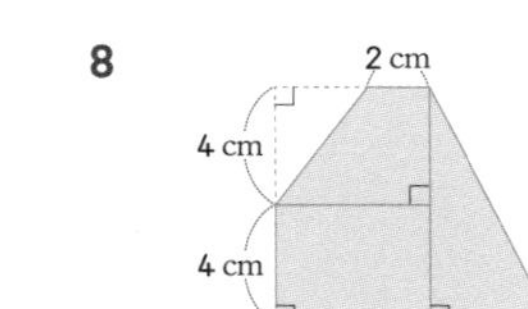

$(2+5) \times 4 \div 2 = 14$
$5 \times 4 = 20$
$4 \times 8 \div 2 = 16$
$14 + 20 + 16 = 50(cm^2)$

50 cm^2

9

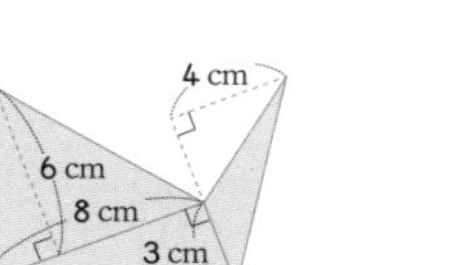

42 cm^2

$8 \times 6 \div 2 = 24$, $3 \times 8 \div 2 = 12$, $3 \times 4 \div 2 = 6$
$24 + 12 + 6 = 42(cm^2)$

10

53 cm^2

$(5+9) \times 2 \div 2 = 14$, $5 \times 5 = 25$
$14 + 14 + 25 = 53(cm^2)$

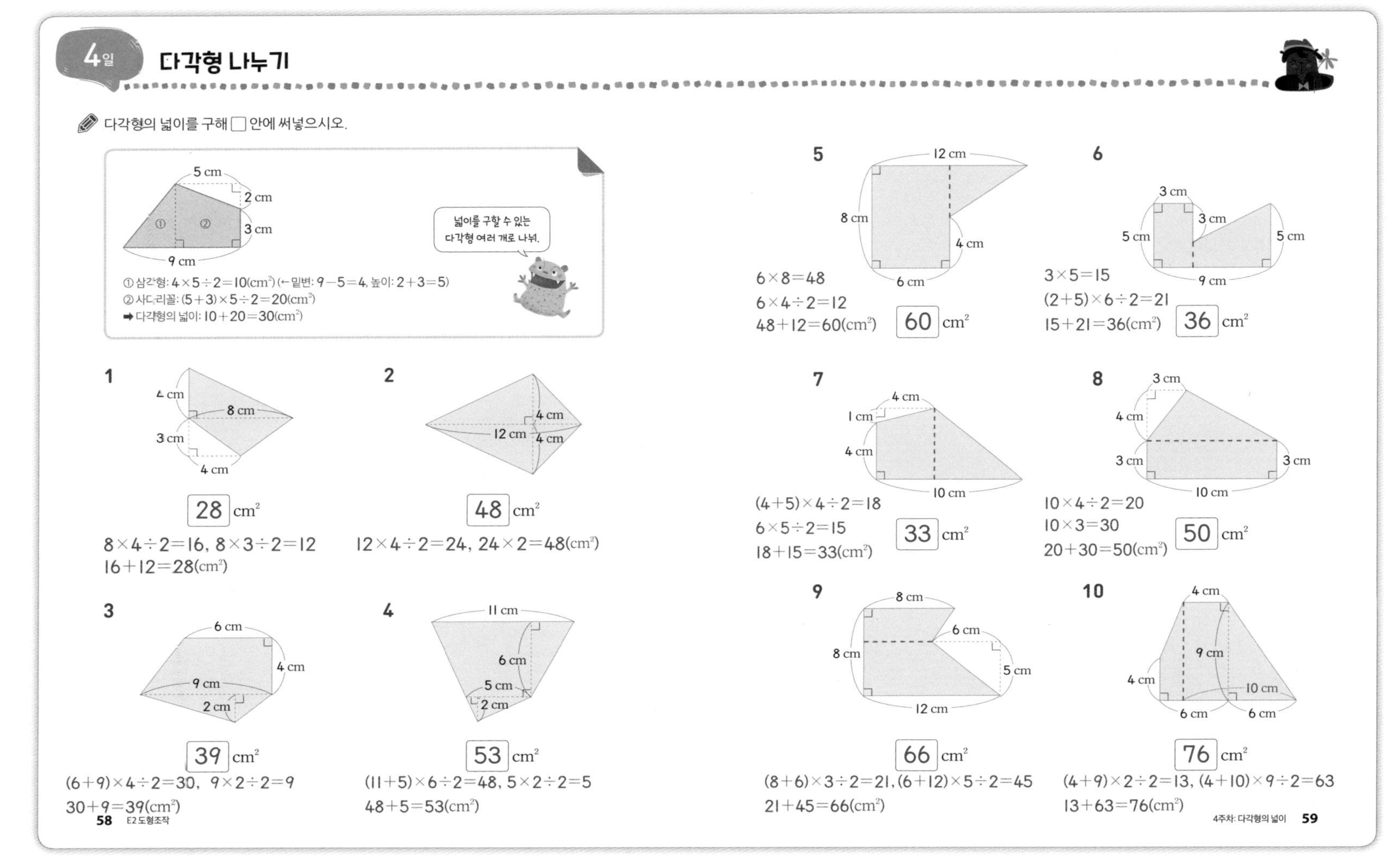

4일 다각형 나누기

다각형의 넓이를 구해 □ 안에 써넣으시오.

① 삼각형: $4 \times 5 \div 2 = 10(cm^2)$ (← 밑변: $9-5=4$, 높이: $2+3=5$)
② 사다리꼴: $(5+3) \times 5 \div 2 = 20(cm^2)$
➡ 다각형의 넓이: $10+20=30(cm^2)$

넓이를 구할 수 있는 다각형 여러 개로 나눠.

1 28 cm^2

$8 \times 4 \div 2 = 16$, $8 \times 3 \div 2 = 12$
$16+12=28(cm^2)$

2 48 cm^2

$12 \times 4 \div 2 = 24$, $24 \times 2 = 48(cm^2)$

3 39 cm^2

$(6+9) \times 4 \div 2 = 30$, $9 \times 2 \div 2 = 9$
$30+9=39(cm^2)$

4 53 cm^2

$(11+5) \times 6 \div 2 = 48$, $5 \times 2 \div 2 = 5$
$48+5=53(cm^2)$

5 60 cm^2

$6 \times 8 = 48$
$6 \times 4 \div 2 = 12$
$48+12=60(cm^2)$

6 36 cm^2

$3 \times 5 = 15$
$(2+5) \times 6 \div 2 = 21$
$15+21=36(cm^2)$

7 33 cm^2

$(4+5) \times 4 \div 2 = 18$
$6 \times 5 \div 2 = 15$
$18+15=33(cm^2)$

8 50 cm^2

$10 \times 4 \div 2 = 20$
$10 \times 3 = 30$
$20+30=50(cm^2)$

9 66 cm^2

$(8+6) \times 3 \div 2 = 21$, $(6+12) \times 5 \div 2 = 45$
$21+45=66(cm^2)$

10 76 cm^2

$(4+9) \times 2 \div 2 = 13$, $(4+10) \times 9 \div 2 = 63$
$13+63=76(cm^2)$

5일 큰 도형에서 빼기

다각형의 넓이를 구해 □ 안에 써넣으시오.

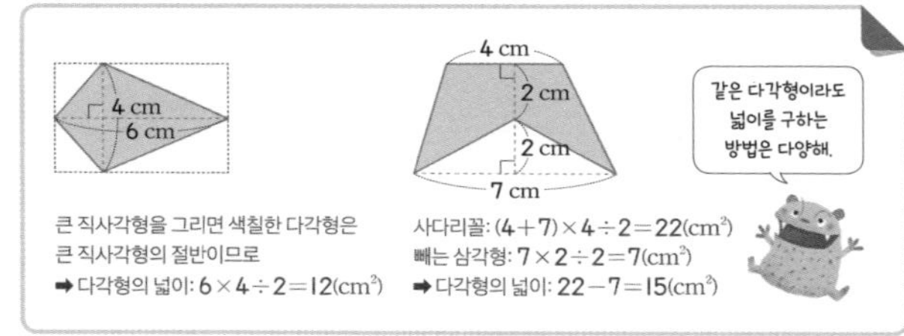

큰 직사각형을 그리면 색칠한 다각형은 큰 직사각형의 절반이므로
➡ 다각형의 넓이: $6\times4\div2=12(\text{cm}^2)$

사다리꼴: $(4+7)\times4\div2=22(\text{cm}^2)$
빼는 삼각형: $7\times2\div2=7(\text{cm}^2)$
➡ 다각형의 넓이: $22-7=15(\text{cm}^2)$

1

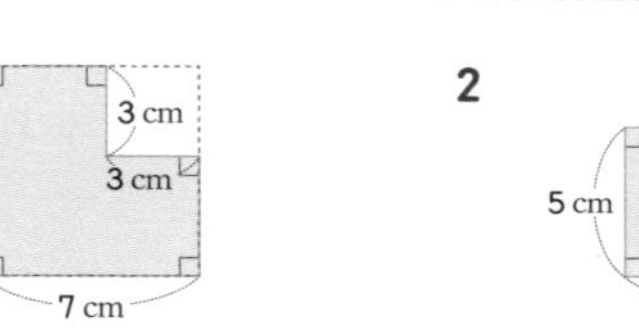

40 cm²

$7\times7=49$, $3\times3=9$
$49-9=40(\text{cm}^2)$

2

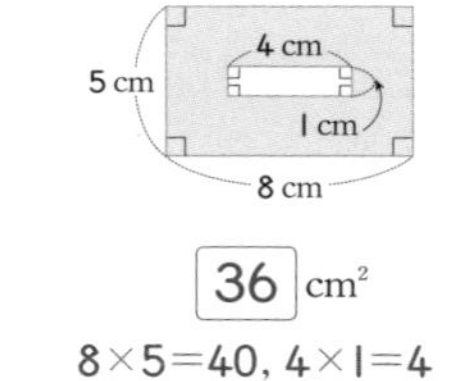

36 cm²

$8\times5=40$, $4\times1=4$
$40-4=36(\text{cm}^2)$

3

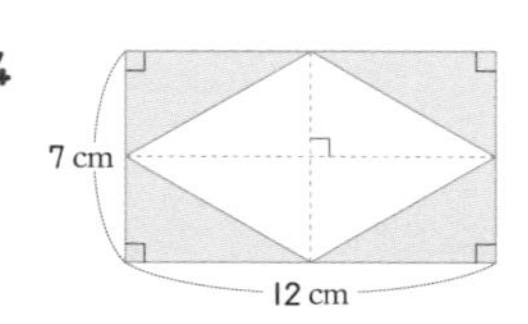

30 cm²

$10\times6\div2=30(\text{cm}^2)$

4

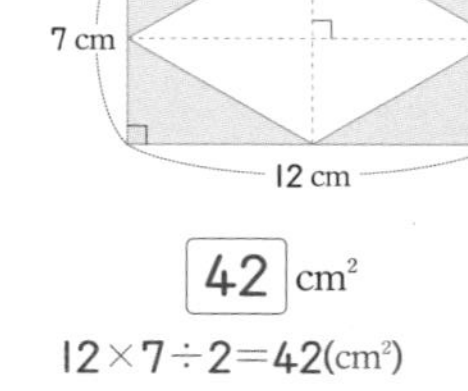

42 cm²

$12\times7\div2=42(\text{cm}^2)$

5

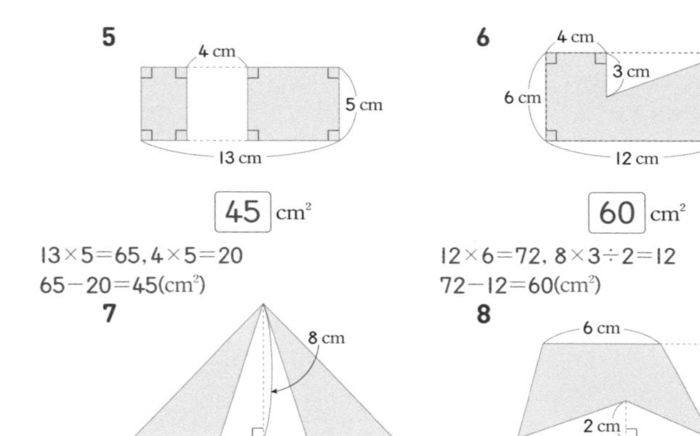

45 cm²

$13\times5=65$, $4\times5=20$
$65-20=45(\text{cm}^2)$

6

6 cm, 4 cm, 3 cm, 6 cm, 12 cm

60 cm²

$12\times6=72$, $8\times3\div2=12$
$72-12=60(\text{cm}^2)$

7

8 cm, 5 cm, 5 cm, 5 cm

40 cm²

$15\times8\div2=60$, $5\times8\div2=20$
$60-20=40(\text{cm}^2)$

8

6 cm, 5 cm, 2 cm, 10 cm

30 cm²

$(6+10)\times5\div2=40$, $10\times2\div2=10$
$40-10=30(\text{cm}^2)$

9

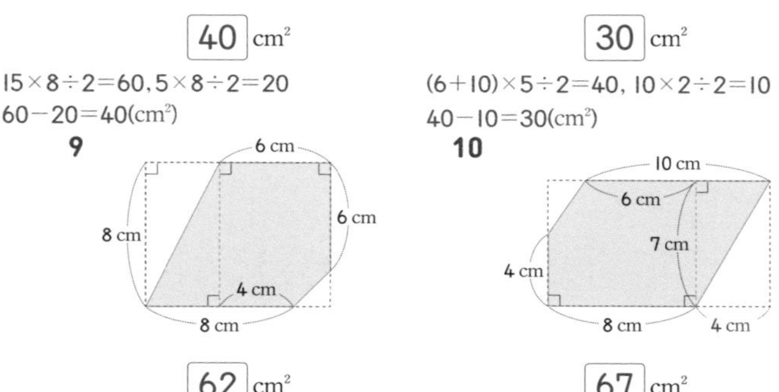

62 cm²

$10\times8=80$, $4\times8\div2=16$, $2\times2\div2=2$
$80-16-2=62(\text{cm}^2)$

10

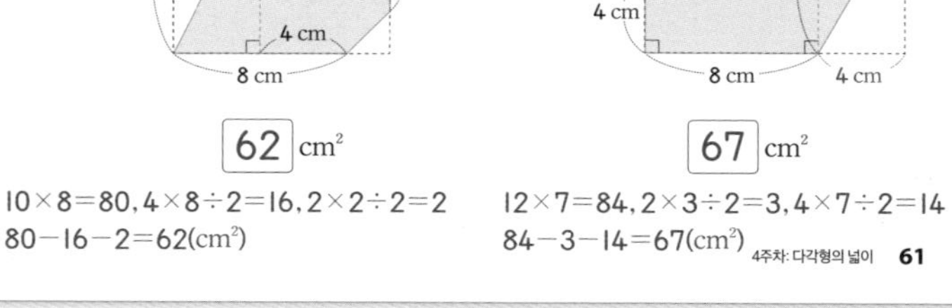

67 cm²

$12\times7=84$, $2\times3\div2=3$, $4\times7\div2=14$
$84-3-14=67(\text{cm}^2)$

확인학습

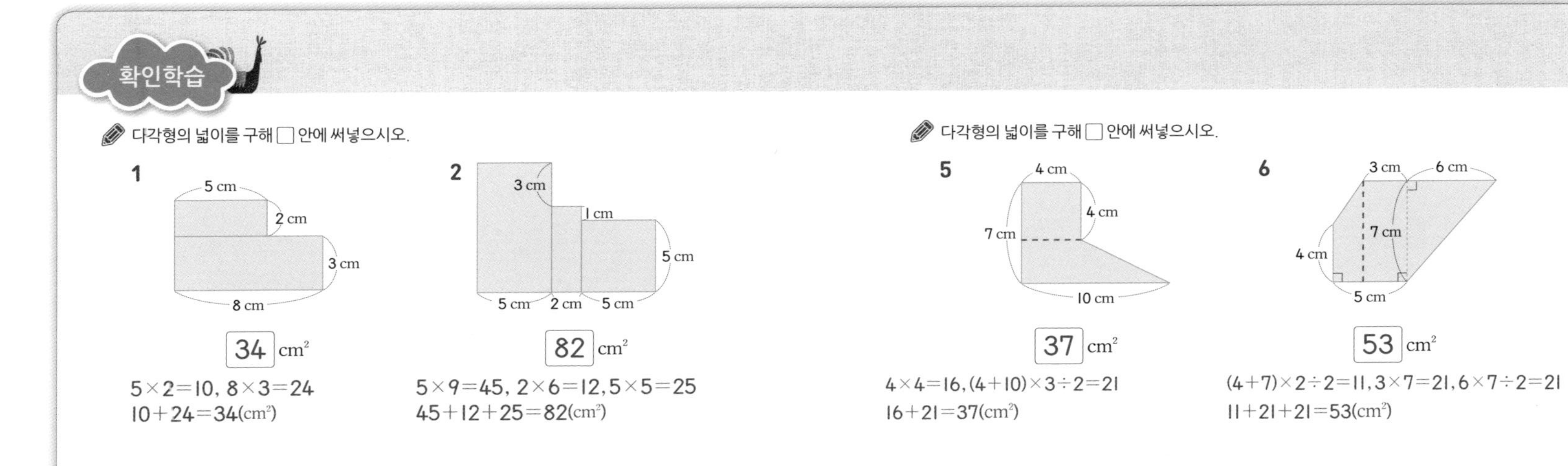

다각형의 넓이를 구해 □ 안에 써넣으시오.

1

34 cm²

$5\times2=10$, $8\times3=24$
$10+24=34(cm^2)$

2

82 cm²

$5\times9=45$, $2\times6=12$, $5\times5=25$
$45+12+25=82(cm^2)$

다각형의 넓이를 구해 □ 안에 써넣으시오.

5

37 cm²

$4\times4=16$, $(4+10)\times3\div2=21$
$16+21=37(cm^2)$

6

53 cm²

$(4+7)\times2\div2=11$, $3\times7=21$, $6\times7\div2=21$
$11+21+21=53(cm^2)$

다각형의 넓이를 구해 □ 안에 써넣으시오.

3

48 cm²

$4\times6=24$, $(6+2)\times6\div2=24$
$24\times24=48(cm^2)$

4

39 cm²

$7\times4=28$, $(4+7)\times2\div2=11$
$28+11=39(cm^2)$

다각형의 넓이를 구해 □ 안에 써넣으시오.

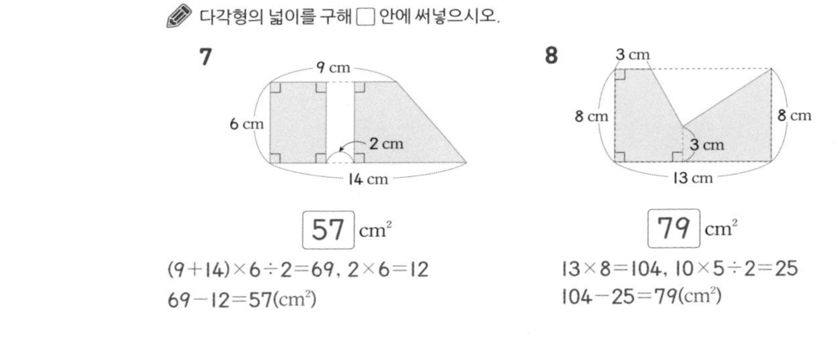

7

57 cm²

$(9+14)\times6\div2=69$, $2\times6=12$
$69-12=57(cm^2)$

8

79 cm²

$13\times8=104$, $10\times5\div2=25$
$104-25=79(cm^2)$

형성 평가 | 본문 66~67쪽

1회차 형성 평가

월 일 | 제한 시간 10분 / 맞은 개수 /8개

◆ 직사각형의 넓이를 구해 □ 안에 써넣으시오.

1 (9 cm, 9 cm)

81 cm^2

$9\times9=81(cm^2)$

2 (15 cm, 12 cm)

180 cm^2

$15\times12=180(cm^2)$

◆ 단위넓이를 이용하여 평행사변형의 넓이를 구해 □ 안에 써넣으시오.

3 (1 cm^2)

15 cm^2

$5\times3=15(cm^2)$

4 (1 cm^2)

12 cm^2

$2\times6=12(cm^2)$

◆ 마름모의 넓이를 구해 □ 안에 써넣으시오.

5 (7 cm, 12 cm)

42 cm^2

$12\times7\div2=42(cm^2)$

6 (4 cm, 7 cm)

28 cm^2

$7\times8\div2=28(cm^2)$

◆ 다각형의 넓이를 구해 □ 안에 써넣으시오.

7

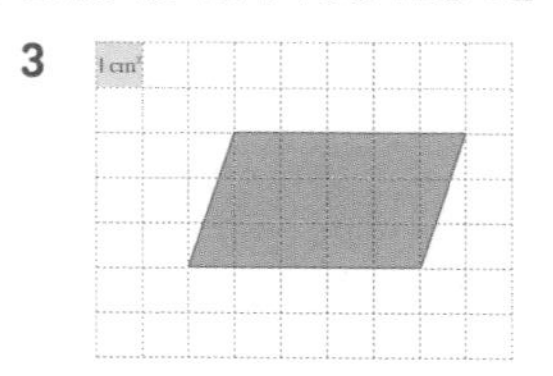

33 cm^2

$11\times6\div2=33(cm^2)$

8 (7 cm, 6 cm, 8 cm, 4 cm, 9 cm)

73 cm^2

$12\times8=96,\ 3\times2\div2=3,\ 5\times8\div2=20$

$96-3-20=73(cm^2)$

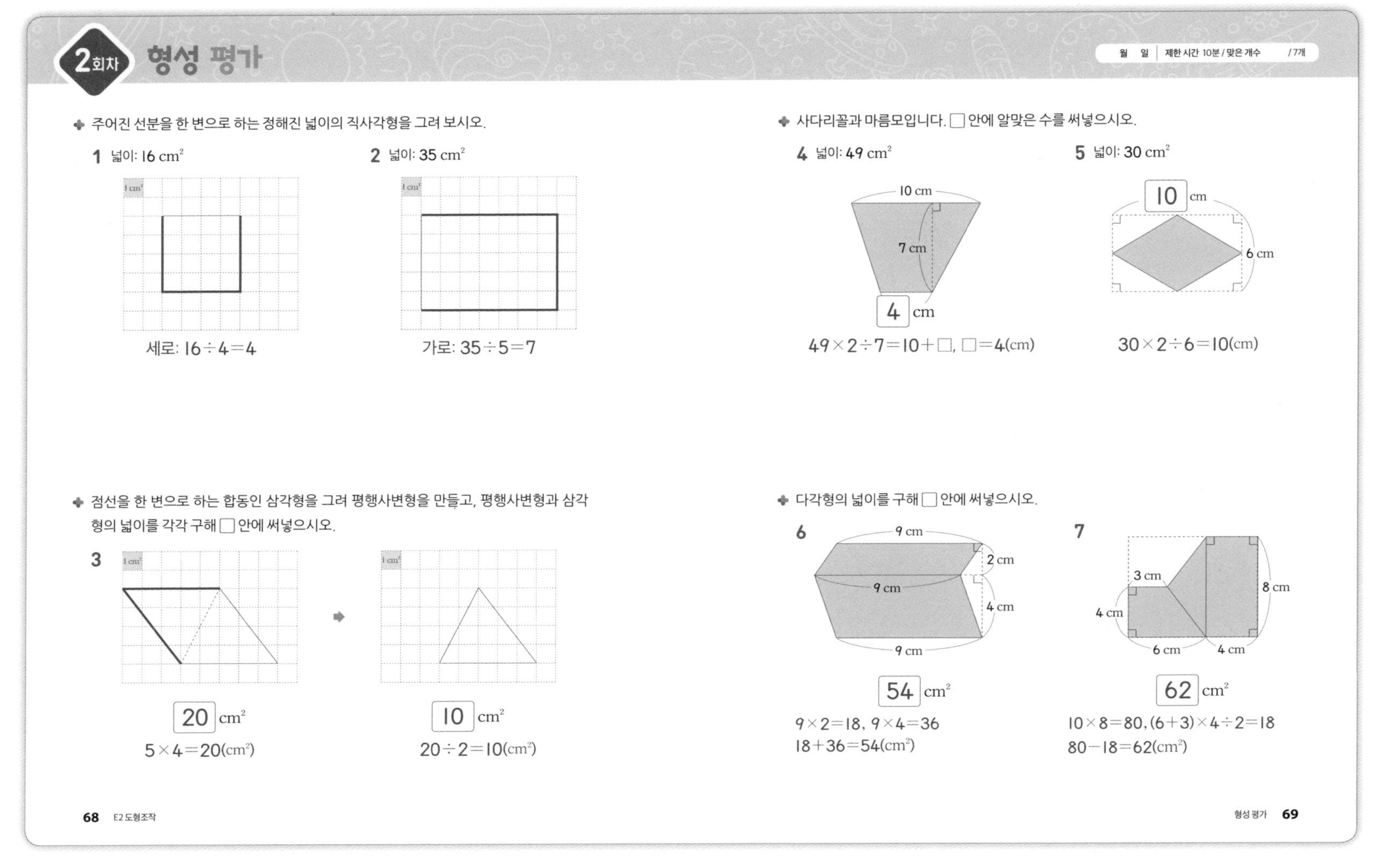

2회차 형성 평가

월 일 | 제한 시간 10분 / 맞은 개수 /7개

✚ 주어진 선분을 한 변으로 하는 정해진 넓이의 직사각형을 그려 보시오.

1 넓이: 16 cm²

세로: $16 \div 4 = 4$

2 넓이: 35 cm²

가로: $35 \div 5 = 7$

✚ 점선을 한 변으로 하는 합동인 삼각형을 그려 평행사변형을 만들고, 평행사변형과 삼각형의 넓이를 각각 구해 □ 안에 써넣으시오.

3

[20] cm²

$5 \times 4 = 20(cm^2)$

[10] cm²

$20 \div 2 = 10(cm^2)$

✚ 사다리꼴과 마름모입니다. □ 안에 알맞은 수를 써넣으시오.

4 넓이: 49 cm²

[4] cm

$49 \times 2 \div 7 = 10 + \square$, $\square = 4(cm)$

5 넓이: 30 cm²

[10] cm

$30 \times 2 \div 6 = 10(cm)$

✚ 다각형의 넓이를 구해 □ 안에 써넣으시오.

6

[54] cm²

$9 \times 2 = 18$, $9 \times 4 = 36$

$18 + 36 = 54(cm^2)$

7

[62] cm²

$10 \times 8 = 80$, $(6+3) \times 4 \div 2 = 18$

$80 - 18 = 62(cm^2)$

68 E2 도형조작 형성 평가 69

3회차 형성 평가

월 일 | 제한 시간 10분 / 맞은 개수 /8개

✚ 둘레가 주어진 직사각형입니다. 넓이를 구해 □ 안에 써넣으시오.

1 둘레: 12 cm

[9] cm^2

3+□=6, □=3
$3\times3=9(cm^2)$

2 둘레: 26 cm

4 cm

[36] cm^2

□+4=13, □=9
$9\times4=36(cm^2)$

✚ 평행사변형의 넓이를 구해 □ 안에 써넣으시오.

3

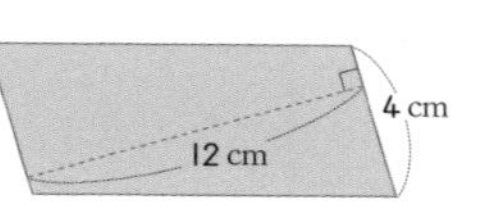

[48] cm^2

$4\times12=48(cm^2)$

4

8 cm
7 cm
8 cm

[56] cm^2

$8\times7=56(cm^2)$

✚ 넓이가 같은 도형 2개를 찾아 각각 ○표 하시오.

5

1 cm²

6

1 cm²

✚ 다각형의 넓이를 구해 □ 안에 써넣으시오.

7

3 cm
4 cm
9 cm
3 cm
2 cm
9 cm

[48] cm^2

$3\times9=27$, $3\times5=15$, $3\times2=6$
$27+15+6=48(cm^2)$

8

2 cm
3 cm
5 cm
2 cm
5 cm
3 cm

[36] cm^2

$2\times3=6$, $12\times2=24$, $2\times3=6$
$6+24+6=36(cm^2)$

4회차 형성 평가

월 일 | 제한 시간 10분 / 맞은 개수 /7개

✚ 단위넓이를 이용하여 직사각형의 넓이를 구해 □ 안에 써넣으시오.

1 **2**

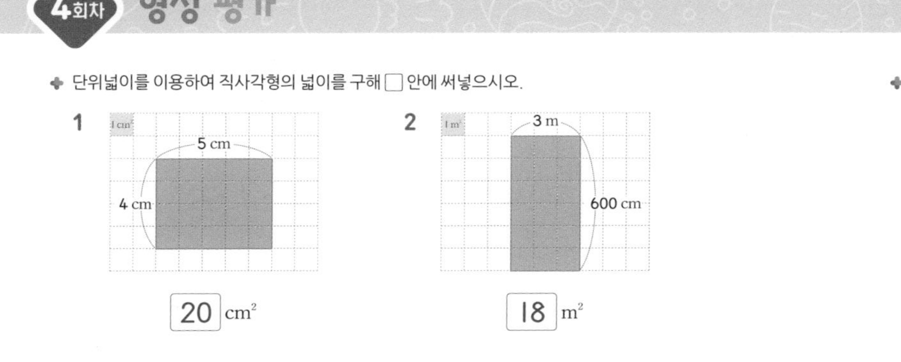

1. 20 cm²
2. 18 m²

✚ 삼각형의 넓이를 구해 □ 안에 써넣으시오.

3 **4**

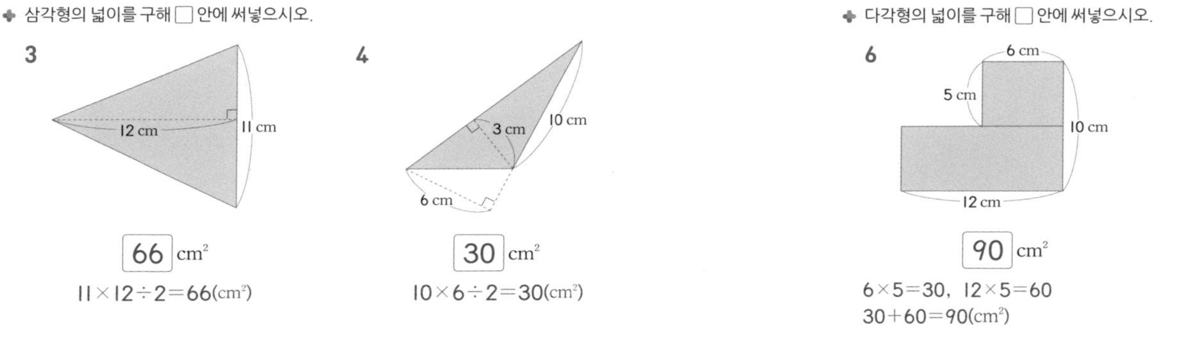

3. 66 cm²

$11 \times 12 \div 2 = 66(\text{cm}^2)$

4. 30 cm²

$10 \times 6 \div 2 = 30(\text{cm}^2)$

✚ 점선을 한 변으로 하는 합동인 사다리꼴을 그려 평행사변형을 만들고, 평행사변형과 사다리꼴의 넓이를 각각 구해 □ 안에 써넣으시오.

5

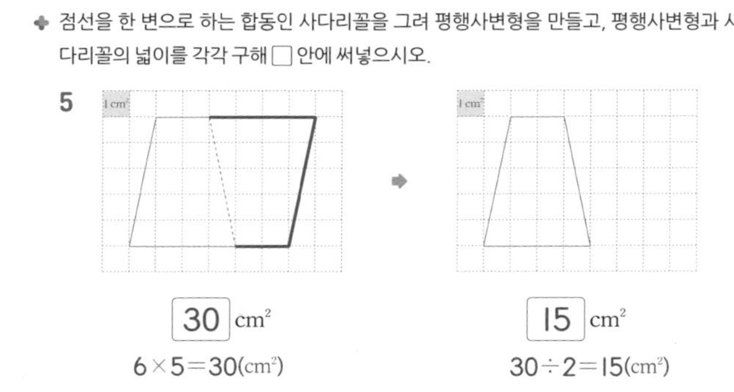

30 cm²

$6 \times 5 = 30(\text{cm}^2)$

15 cm²

$30 \div 2 = 15(\text{cm}^2)$

✚ 다각형의 넓이를 구해 □ 안에 써넣으시오.

6 **7**

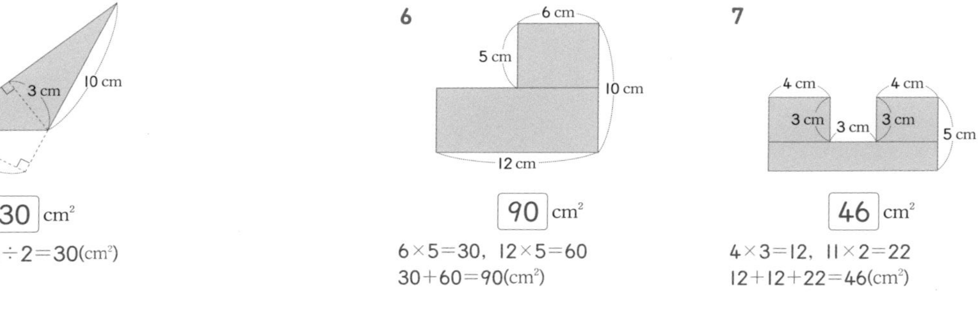

6. 90 cm²

$6 \times 5 = 30, \ 12 \times 5 = 60$

$30 + 60 = 90(\text{cm}^2)$

7. 46 cm²

$4 \times 3 = 12, \ 11 \times 2 = 22$

$12 + 12 + 22 = 46(\text{cm}^2)$

5회차 형성 평가

월 일 | 제한 시간 10분 / 맞은 개수 /8개

✚ 단위넓이를 이용하여 다각형의 넓이를 구해 □ 안에 써넣으시오.

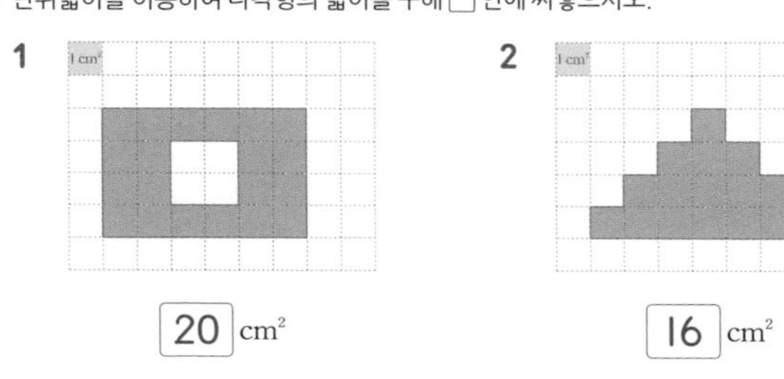

1 20 cm²

2 16 cm²

✚ 평행사변형과 삼각형입니다. □ 안에 알맞은 수를 써넣으시오.

3 넓이: 54 cm²

6 cm, 9 cm

$54 \div 6 = 9$(cm)

4 넓이: 75 cm²

10 cm, 15 cm

$75 \times 2 \div 15 = 10$(cm)

✚ 사다리꼴의 넓이를 구해 □ 안에 써넣으시오.

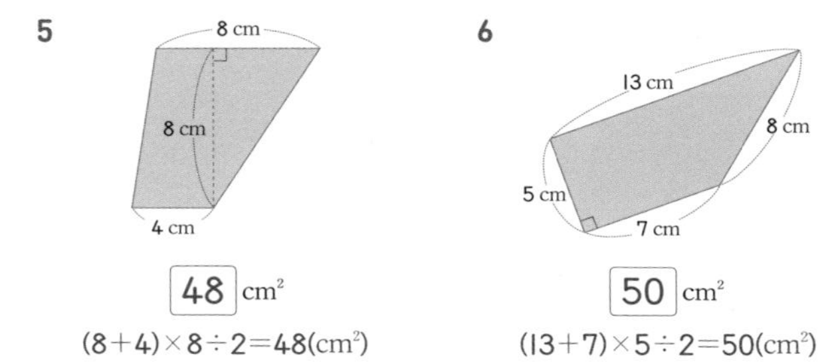

5 48 cm²

$(8+4) \times 8 \div 2 = 48$(cm²)

6 50 cm²

$(13+7) \times 5 \div 2 = 50$(cm²)

✚ 다각형의 넓이를 구해 □ 안에 써넣으시오.

7

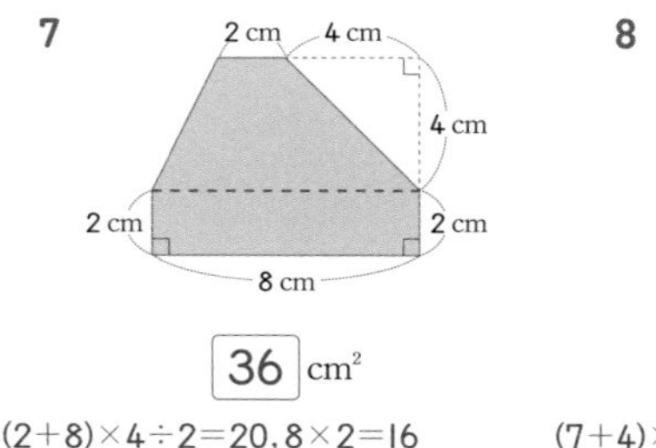

36 cm²

$(2+8) \times 4 \div 2 = 20$, $8 \times 2 = 16$

$20 + 16 = 36$(cm²)

8

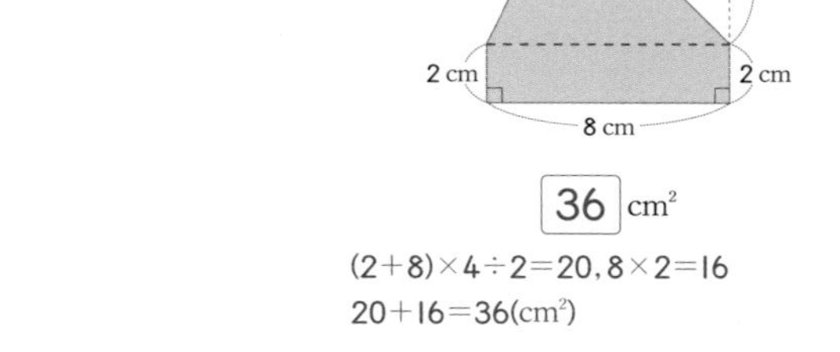

52 cm²

$(7+4) \times 4 \div 2 = 22$, $(4+6) \times 6 \div 2 = 30$

$22 + 30 = 52$(cm²)

Memo

Memo

“Let no one untrained in geometry enter.”

“기하학을 모르는 자, 이 문을 들어오지 말라.”

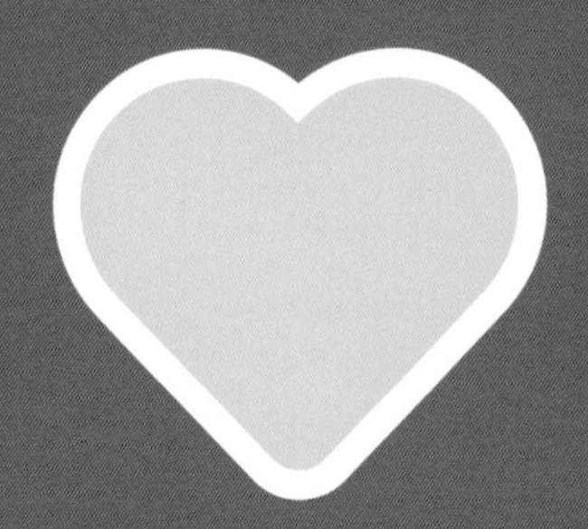